COLLECTION
L'IMAGINAIRE

Emmanuel Berl

Présence
des morts

Gallimard

ISBN 2-07-026617-6

Imprimé en France.

Emmanuel Berl (1892-1976), historien, journaliste, essayiste, a été un des grands esprits de son temps. Parent de Bergson et d'Henri Franck par sa mère, il a toujours vécu dans la fréquentation des écrivains et des hommes politiques. Tout jeune, il devient un ami de Marcel Proust, jusqu'à une brouille célèbre. Il est aussi un ami très proche de Malraux, et de Drieu la Rochelle.

Pour avoir fait la guerre de 1914-18, il pense que la bourgeoisie a failli à sa mission, et ce sera le thème de plusieurs de ses ouvrages, dont *Mort de la morale bourgeoise*. Il collabore à de nombreux journaux et dirige en particulier le grand hebdomadaire de gauche *Marianne* de 1932 à 1937.

En grand écrivain, Emmanuel Berl s'est souvent tourné vers le passé, interrogeant la mort et faisant revivre avec beaucoup de charme quelques figures de femmes. Tels sont *Sylvia, Rachel et autres grâces*, *Présence des morts*.

A la fin de sa vie, il a rassemblé ses souvenirs en répondant aux questions de Patrick Modiano dans un ouvrage intitulé *Interrogatoire*.

I

MARBRES

Je suis entré dans cet hôpital hier soir. Ce matin, j'ai été radiographié, reconnu bon, décidément, pour le service chirurgical. On va donc me couper ma vésicule biliaire, ramoner mon canal cholédoque, je resterai ici jusqu'à l'opération.

Ainsi se termine la longue période où j'étais de plus en plus malade et où personne ne prenait ma maladie au sérieux. Je glissais vers la mort, je m'arc-boutais pour lui résister comme jadis à Caux, pour résister à la puissance de la glace qui me tirait par les pieds; mais on ne s'en apercevait pas. Et de même qu'alors les patineurs, les skieurs exercés m'invitaient à venir avec eux jusqu'à des fauteuils tout proches, mais que j'étais incapable d'atteindre, de même les gens me parlaient, sans se rendre compte du fait que je me sentais en train de mourir. Mes crises ne les émouvaient pas, j'en avais eu trop, et depuis trop longtemps. On les imputait à des causes tout occasionnelles qui leur ôtaient toute importance : j'avais eu tort de manger ce veau au citron, de prendre froid sur ma digestion, je n'aurais pas dû boire ce vin, ce thé. Parfois on préférait des causes plus flatteuses et non moins rassurantes, mes lectures excessives, mon travail — lequel, en fait, avait d'ailleurs cessé. Mon corps avait beau se révolter contre ces explications, je n'étais pas sûr moi-même qu'elles ne fussent pas vraies. Je ne trouvais pas mauvais qu'on incrimine ma légèreté, ou au contraire mon pessimisme plutôt que ma vésicule. Je ne désirais pas non plus avoir raison contre tous, parce que je n'avais pas le courage de rompre les liens qui me rattachaient à eux. Sans doute, mes efforts pour les maintenir par l'imposture, s'avéraient plus vains, de semaine en semaine ; la montée implacable de la solitude n'en était même pas ralentie ; ma mort élevait autour de moi des barrières transparentes, mais infranchissables. J'avais beau écouter attentivement ce qu'on me disait, m'intéresser de mon mieux aux soucis personnels de mes interlocuteurs, une voix que j'avais l'habitude d'entendre, dont le son finissait par m'écœurer, n'en continuait pas moins à murmurer : « Qu'importe, puisque tu meurs et qu'ils ne s'en aperçoivent pas ! » Quelquefois, je me flattais qu'ils faisaient semblant de ne pas s'en apercevoir, soit par crainte d'une conversation qui les eût en-ennuyés, soit par crainte de m'effrayer. Il fallut bien reconnaître que ces hypothèses consolantes n'étaient pas vraies. A la manière dont l'un me parlait de son pied foulé, l'autre de ses difficultés familiales, l'autre de ses inquiétudes financières, quand je souffrais beaucoup et me retenais de le dire, je comprenais trop qu'ils n'avaient aucune conscience ni de mon état ni de mes efforts pour le cacher. Une gravitation mystérieuse nous projetait, eux et moi, contre notre gré, dans des planètes différentes dont les trajectoires, sans doute, ne se recouperaient plus. Moi qui avais toujours contesté la solitude, qui avais toujours cru que d'une manière ou d'une autre, les êtres communiquent entre eux, il fallait bien avouer ma défaite. La solitude triomphait. A quoi bon, sur mon îlot, m'épuiser à émettre des signes que personne ne pouvait capter ?

Mais depuis hier, je suis réintégré à une société humaine. En disant de moi : « Je suis sûr que son canal cholédoque est aux deux tiers bouché », le médecin m'a rendu un état civil ; il m'a donné une patrie : l'Hôpital. Je suis : le malade de la chambre 234, le patient du docteur C... que doit opérer le docteur H... Le couloir long et luisant que j'arpente est mon domaine ; nul ne songe à me l'interdire. Je vois les opérés, dans leurs robes de chambre, balbutier leurs premiers pas ; dans quelques semaines, peut-être, je serai pareil à eux ; je vois aussi les opérés du jour, ramenés sur leurs civières autour desquelles chirurgiens, médecins, assistants s'agglutinent, comme des mouches ; à travers les portes, j'entends les gémissements que les malades poussent, même du fond de leur sommeil et que je pousserai comme eux, à mon tour. Les infirmières me connaissent pour ce que je suis, je les connais pour ce qu'elles sont. Nos rapports sont nets et cordiaux. L'une vient « pour la température », l'autre « pour la prise de sang », l'autre « pour les médicaments », je leur souris, elles me sourient, d'un sourire complice, presque tendre, et sans mensonge. La plupart d'entre elles sont jeunes, quelques-unes sont jolies. Quand je passe devant la cage de verre où elles se rassemblent, toujours je les entends parler de leurs malades, de leur service. Ce dévouement sans à coups ni relâches m'étonne, il m'attendrit, il me rassure. Pour la première fois, depuis longtemps, je trouve l'humanité meilleure que je n'avais supposé.

C'est pourquoi je peux jeter sur ma propre mort un regard plus tranquille. Elle ne me sépare plus du monde. Elle est possible, sans plus. Elle devient presque une simple donnée statistique. Dans ces vingt chambres, un certain pourcentage de malades doit mourir, pourcentage que d'ailleurs chacun travaille à réduire. Toutes les infirmières du « deuxième Est » regarderont ma mort comme un échec, les plus sensibles la regarderont comme un désastre; l'une d'elles, qui ressemble à une jeune fille de Claudel, m'a dit qu'après chaque décès, elle restait huit jours sans retrouver le sommeil. Ma mort ne m'oppose plus du tout aux vivants. C'est pourquoi j'ai refait consciencieusement, tranquillement, mon testament, mes comptes, avec le souci de ne rien oublier, Il me semble juste de répondre par une exactitude attentive à celle qu'on met à tenir mon dossier où ni un cliché, ni une analyse, ni une ordonnance, ni un graphique ne manquent. Moi aussi, je désire remettre un homme en règle au docteur anesthésiste.

Mais une fois en règle, je n'ai plus rien à faire. J'attends. Et je cherche ce que signifie vraiment pour moi cette mort qui me paraît si proche, à laquelle je sens bien que je me résigne, qu'une partie de moi, en tout cas, se résigne. Bien sûr, j'admets que je serai anéanti. Sans quoi, la mort n'est pas la mort, et les pensées même qu'on lui donne ne sont que des mots de comédie. Mais qui donc, qui va subir cet anéantissement ?

Mon corps ? Il m'a fait trop de misères depuis deux ans pour que je puisse dire « moi » quand il s'agit de lui. Ces calculs qu'on va me retirer, ils ne sont pas moi,

ils sont plutôt le contraire de moi, mes en-
nemis. Mon épaule gauche a été rongée par
un zona qui continue d'ailleurs à me cuire;
un lumbago paralysait ma jambe droite.
Epaule et jambe se sont, en somme révoltées
contre moi. Quand je dis : mon corps, je
ressemble au roi têtu qui dit : mon peuple
en parlant de ceux qui précisément l'ont
détrôné et qui lui dénient toute autorité.

Bien sûr, je comprends que, sans mon
corps, il ne restera pas grand chose de moi ;
je ne pourrai plus lire mon journal, parler
au médecin quand il passe..., accomplir aucun acte.

Mais tous ces actes que j'assume, en suis-je
l'auteur ? Mon journal tire à un million
deux cent mille exemplaires, il fait pression
sur moi pour que je le lise. Le médecin
vient quand il veut, il m'interroge comme
il lui plaît. Je n'arrive guère à lui faire écouter ce que j'avais résolu de lui dire ; les
questions que je voulais lui poser, il les es-
quive, et disparaît.

Sans doute, il y a ma liberté. Mais est-elle
autre chose que mon incertitude quant à ce
qui va m'arriver ? Il m'est bien difficile ici,

de croire que je pourrais ne pas décider ce que je décide. Dès lors que les médecins, les radiologues voulaient qu'on m'opère, il devenait à peu près impossible qu'on ne m'opère pas. Tout à l'heure, on m'a fait signer une feuille où je demande, pour les jours qui suivront mon opération, des « infirmières spéciales », appelées du dehors. Je ne les souhaitais pas. J'aime les infirmières du deuxième Est, et je ne connais pas celles qu'on fera venir. Il a fallu pourtant que je signe. Et l'hôpital serait quand même en droit de dire que j'ai « demandé » ce qu'en fait, il m'a imposé. Dans ce vaste mécanisme où on m'a introduit, je ne sens guère ma liberté que comme la « glorieuse incertitude » du jeu dans lequel je suis impliqué. Cette incertitude, quant à mon destin, il n'est d'ailleurs pas vrai qu'elle fasse une même chose avec ma vie : ma mort ne suffit pas à la dissiper.

Elle n'empêcherait pas, en effet, que telle femme, tel ami qui semblent ne pas beaucoup se soucier de moi se découvrent pour moi une affection aujourd'hui insoupçonnée de moi — et d'eux-mêmes. Elle n'empêcherait pas qu'on m'impute des fautes dont je suis innocent ; et qui sait quelle sera ma carrière d'écrivain posthume ? La mort ne scelle pas les destins. Suffit-elle pour anéantir la liberté qui s'oppose à eux ? Destinée, liberté semblent flotter devant moi, hors de moi...

Sans doute, je suis la somme de mes souvenirs, rien autre... Vaste collection rassemblée par ma vie et que dispersera ma mort.

Mais beaucoup de ces souvenirs, je vois bien qu'ils ne m'appartiennent pas en propre.

J'ai été élève au lycée Carnot, soldat au 356ᵉ régiment d'infanterie ; mais non pas seul : dans tous ces clichés, je fais partie d'un groupe, et souvent, il faut tracer, au-dessus de ma tête, une petite croix pour que je m'y retrouve... C'est seulement la superposition de ces souvenirs qui fait que je suis Emmanuel Berl. Car Fouarge aussi était au 356ᵉ R.I., et Jean Boyer au lycée Carnot, mais Jean Boyer n'était pas au 356ᵉ R.I. ni Fouarge au lycée Carnot... Il me semble douteux que ces souvenirs soient réellement moi. Et il n'est pas vrai que je les conserve tous. Je n'avais pas douze ans que, déjà, je savais qu'il n'en est rien.

BETTY ET LA DÉCOUVERTE DE L'OUBLI

J'entendis en effet ma mère et ma grand-mère parler d'une gouvernante anglaise que j'avaie eue, dans mon enfance; elle s'appelait Betty, paraît-il ; elle était très jolie et coquette. Ma mère, que la coquetterie agaçait toujours, parce qu'elle lui restait inintelligible, n'avait pas beaucoup aimé cette Betty. Elle l'imitait, en train d'essayer une robe et de dire « Pincez un peu plus la taille, je vous prie, Madame Couvreux ». Maman riait, ma grand-mère aussi. Je riais de les entendre rire, mais je ne me rappelais pas Betty. Tout le monde s'en étonnait, elle était restée chez nous plus de dix huit mois, et j'avais plus de cinq ans, à son départ ; je me rappelais bien des choses et bien des personnes que j'avais vues à la même époque. Mais cette défaillance de ma mémoire, si elle parut étonnante ne parut pas scandaleuse. Betty s'était moins souciée de moi, je pense, que de ses cheveux blonds, qu'elle brossait avec amour, et de sa taille dont elle voulait mettre en valeur la finesse. J'étais donc exempt d'ingratitude. C'est pourquoi ma mère ne s'y arrêta point. Et moi-même, je n'y songeai plus.

Mais, quelques années plus tard, je tombai amoureux d'une jeune fille blonde, je m'aperçus que jusque-là, j'avais toujours préféré les brunes, je repensai à Betty, à ce dossier si bizarrement disparu de ma mémoire ; désireux de le récupérer, je questionnai tous ceux qui, dans mon entourage, avaient connu Betty, j'espérais que leurs souvenirs réveilleraient les miens. Mais on ne m'apprit rien, que je n'aie déjà su. Je retournai même au village où Betty m'avait servi de gouvernante et où Mme Couvreux lui essayait ses robes ; Mme Couvreux était morte, je regardai bien sa maison, la fenêtre d'où elle guettait ses clientes. Tout cela fut vain. Je me rappelais ce que maman avait dit de Betty : elle-même, je ne me la rappelais pas. Si maman ne l'avait pas imitée, tout se fût donc passé comme si je ne l'avais pas connue, comme si elle n'avait pas existé. Pourtant, il me paraît impossible qu'elle m'ait été indifférente; je vivais, au moins en partie, sous la dépendance. Faut-il donc croire que Betty, au contraire, m'a tellement bouleversé que je n'ai pu discerner la forme ni le parfum d'une chair dont, peut-être, j'ai toujours gardé, garde encore, la nostalgie ?

Ce qui est sûr, c'est que j'espérais récupérer un jour cette image perdue, et que je ne l'ai pas retrouvée. Je finis par me demander : Qu'est-ce qu'un souvenir dont on ne s'est jamais souvenu ? On me dira que j'en ai retrouvé d'autres longtemps oubliés, eux aussi. Les psychiatres citent des cas surprenants de souvenirs inespérés. Mais de ce que les archéologues ont retrouvé la momie de Tout Ankh Amon, personne ne déduit qu'on retrouvera tous les restes de tous les rois.

Le cas de Betty aurait dû suffire à me convaincre que ma mémoire ne conserve pas tout mon passé. Il me montrait assez clairement que l'oubli n'est pas un simple accident, une faille, bientôt réparée, dans le métal d'une mémoire incorruptible, mais au contraire un océan, qui peu à peu recouvre nos vies, et dans lequel les souvenirs qui nous restent ne font qu'une chétive poignée d'îlots.

Mes souvenirs ne sont pas moi. Ils sont à moi. Je les garde, je les perds, je les retrouve, comme les objets qu'ils rappellent et qui les évoquent.

Bergson n'avait pas raison de dire que j'étais ma propre « durée », la force mystérieuse « qui pousse mon passé dans mon présent ». Que d'efforts n'ai-je pas faits pour percevoir cette durée ! J'avais fini par admettre qu'une infirmité personnelle m'empêchait de la « saisir ».

Mais si j'étais ma propre durée, et si elle conservait dans son flux, tous mes souvenirs, comme un fleuve conserve ses affluents, je serais de plus en plus riche. Je sais trop que ce n'est pas vrai : je ne suis certainement pas l'enfant que j'ai été, auquel s'ajouteraient l'étudiant, le soldat, le journaliste qui lui ont succédé. Je connais des choses qu'il ne connaissait pas; mais il en connaissait d'autres que je ne connais plus. Il apercevait des écharpes de fées, aux bords des étangs, je ne les vois plus, je ne suis même plus certain de leur existence. Ma mémoire n'est pas moins sujette à l'erreur qu'à l'oubli. Non seulement mon passé s'évapore, se dissout, mais il télescope avec celui des autres : telle femme dont je me souviens, tout à coup, je m'aperçois que ce n'est pas moi, mais Henri Durand qui l'avait connue... Je me rappelle qu'à Veules-les-Roses, je faisais, sur la plage, des châteaux avec mes cousines et avec Lise Clemenceau; je voulus porter une pierre trop lourde pour moi, je la laissai tomber sur le doigt de Lise Clemenceau, posé lui-même sur un galet. J'en fus si bouleversé qu'il me semble encore avoir mal à mon doigt quand je me le rappelle. Mais, récemment, un médecin m'interrogeait sur la longue et fastidieuse histoire de mes névrites, je lui dis que j'avais été torturé, pendant toute une année, par une sciatique et je ne puis me rappeler si c'était la jambe gauche ou la jambe droite qui me lancinait. Ma mémoire donc se rappelle la douleur de Lise Clemenceau — que j'ai seulement imaginée — et pas la mienne que j'ai pourtant ressentie.

En somme, il est bien possible qu'avant la fin de la semaine, je sois mort. Il me semble même que, tout compte fait, je m'y résigne; car, s'il y a des moments où la mort m'effraie, il y en a où elle m'attire. Mais, résigné ou non, je ne sais pas du tout ce qu'elle signifie : quelqu'un va disparaître, mais je ne sais pas qui, quelque chose va cesser d'être, mais je ne sais pas quoi.

Je peux regarder ma mort, fixement, sans ciller; seulement, je ne vois rien, que du vide.

Je peux l'interroger, mais la seule réponse que j'en tire, c'est qu'elle me rendra pareil à ceux que j'ai connus — et qui sont morts. Je ne sais pas où elle me mène, je sais du moins qui elle me fait rejoindre.

Malheureusement, j'ai regardé les morts avec la même indifférence distraite qu'ont les vivants quand ils me regardent, moi. Cette indifférence qui leur masquait ma maladie et les faisait m'imaginer pareil à eux (« Vous prendrez bien un petit cocktail... Une petite tranche de pâté ne peut pas vous faire de mal »), elle m'a fait réduire les « disparus » aux communs dénominateurs du squelette, du linceul, du cercueil et de la tombe. Tous pareils donc, puisqu'ils étaient tous enterrés, et moi pas, puisqu'ils étaient sous la terre, et moi dessus.

Pourtant, lorsque j'ai suivi de près une agonie, il m'a toujours paru que le destin du mort n'était pas identique à celui des êtres que j'avais vus mourir, avant lui. Il en est qui m'ont paru complices de l'oubli qui allait les recouvrir. Ils se détournaient du monde qu'ils allaient quitter, et désiraient qu'il se détourne d'eux; ils voulaient le laisser — et qu'on les laisse. Mon oncle Alfred Berl était fatigué de sa vie trop longue; il me disait : « Tâche de t'arrêter un peu plus tôt que moi. »

Mais un an auparavant, j'avais vu mourir Roland de Jouvenel; et je sentais qu'il avait beau être attiré par la mort, vers laquelle sa maladie le précipitait, il ne pouvait se détacher de la vie, sans angoisse. C'est qu'il trouvait injuste de laisser sa mère seule, il se résignait mal au chagrin qu'il lui causait : il n'avait pas quinze ans. Aussi n'ai-je pas été surpris qu'elle le sente rôder autour d'elle, parmi les rayons de soleil, les fleurs, les feuilles des arbres, qu'elle entende sa voix, qu'elle capte ses messages.

Il avait toujours vécu avec elle, et le plus souvent, seul à seul. Je trouvais très simple que pour la consoler, dans son extrême désarroi, il usât de tous les moyens dont il pouvait disposer. De ces moyens, d'ailleurs, je n'avais et n'ai encore aucune idée; mais je trouvais naturel qu'il s'en servît.

J'ai d'ailleurs constaté que des personnes — non moins obsédées que cette mère malheureuse par l'être qu'elles venaient de perdre — n'admettaient pas, cependant, ne concevaient même pas ces rapports. Leur raison, disaient-elles, les empêchait d'y croire; à mon idée, c'était plutôt leur imagination qui se refusait à les leur représenter. Et cela, parce qu'elles avaient vu l'être qu'elles pleuraient, s'abandonner, sans réserve, à la mort. Natacha Rostov voit ainsi, dans *Guerre et Paix,* le prince André franchir le seuil mystérieux au delà duquel elle-même lui devient étrangère, et le monde des vivants, absurdité pure.

Comment douterions-nous que des êtres, qui étaient déjà insensibles avant de mourir, le restent, après qu'ils sont morts ?

Nous pensons tous que l'indifférence envers les survivants est leur condition même. Et, quand nous ne pouvons les croire indifférents, quand par exemple ils ont subi une injustice trop lourde pour qu'ils s'y résignent, nous ne pouvons plus les imaginer pareils aux autres morts. Ainsi naissent les fantômes. Dans notre esprit. Mais pourquoi dans notre esprit seulement ?

A la vérité, si nous jugions d'après notre seule expérience, sans prévention, sans doctrine préconçue, nous penserions que les destins des morts sont divers, comme ceux des vivants. Même en admettant qu'ils finissent tous par se résorber dans le néant, il resterait probable qu'ils le font à des vitesses inégales. Nous voyons bien que certains survivent un peu, et d'autres, non. Beaucoup survivent, par leurs enfants qui, parfois, leur ressemblent davantage après qu'ils ont disparu, d'aucuns par leurs œuvres : Simone Weill que je n'ai pas connue, voilà que tout à coup, par ses écrits posthumes, elle se révèle à moi.

A supposer même qu'une personne ne soit rien d'autre que l'expression de son propre corps, comment ne pas tenir compte du fait que les cadavres se décomposent à des vitesses très variables ? Au surplus, leur matérialisme n'a pas empêché les bolchevicks d'embaumer Lenine, un peu moins mort sans doute, dans le mausolée où on le voit intact.

L'effrayante ressemblance des morts avec les morts, elle ne tient pas tant à leur destinée d'ailleurs inconnue, qu'à nous-mêmes et à notre indifférence envers eux. Ils me paraissent pareils les uns aux autres, parce que, ni pour les uns ni pour les autres, je ne peux ou ne veux rien faire; dès que cessent ma négligence et ma sécheresse, ils cessent d'être interchangeables, et les vivants d'ailleurs le deviennent, dès que nous les regardons avec la même indifférence que les morts.

Mes rapports avec eux sont restés simples tant que j'ai pensé : je ne peux empêcher qu'ils soient morts et que je sois vivant; tout le reste n'est qu'imposture.

Il m'a fallu reconnaître pourtant que, s'il n'était pas en mon pouvoir de les ressusciter, je pouvais les défendre contre l'oubli, ou au contraire, les lui abandonner. Je l'avais soupçonné quand je publiai *Sylvia* : des êtres que j'avais connus dans mon enfance, et auxquels personne ne pensait plus, il avait suffi que je me souvienne d'eux pour contraindre d'autres à s'en souvenir aussi. Je n'en fus pas frappé autant que j'aurais dû, à raison du caractère ambigu que gardent toujours toutes les choses de l'art.

Mais, à quelque temps de là, un avertissement plus pressant me fut donné. C'était dans le couloir d'un petit théâtre...

Le spectacle n'était pas bon. Il faisait chaud; à l'entracte je me dépêchai de sortir; je voulais fumer une cigarette et respirer l'air pur. Le corridor était bondé. Je butai contre Mme de P..., très belle, dans un manteau de fourrure grise. Je ne l'avais pas vue depuis dix ans; mais je l'avais connue dès l'enfance, du moins, dans la sienne; nous avions été tous deux, quoique successivement, élèves du Cours de Monvel. Si charmante qu'elle restât, je revis aussitôt, en surimpression, la petite fille dont j'avais tant admiré, dont chacun admirait la beauté. On eût dit qu'elle sortait d'un conte de fées, avec son visage d'un rose presque irréel, ses lèvres rouges, son air de bonté, ses cheveux cendrés qui tombaient, par boucles, légères et soyeuses, sur la robe bleu foncé décorée, avec amour, d'églantines en taffetas rose et de broderies aux tons plus vifs. Le miracle était qu'elle restât si bonne, en étant si gâtée, et que, si jolie, elle fût si musicienne : car ses yeux, ses joues, ses mains, semblaient s'illuminer dès qu'elle chantait.

Distrait d'elle par elle-même, je lui dis quelques-unes des phrases insignifiantes qui conviennent seules à ces relations très anciennes, mais que la vie n'a malheureusement pas fait fructifier, quand soudain, elle me fit penser au Cours. Je sentis que je l'y faisais penser aussi. Nous parlâmes tout de suite de lui, non du spectacle. J'avais davantage aimé Mlle Juliette, qui enseignait le français, elle, au contraire, Mlle Cécile, qui enseignait le piano. La pensée de Mme de P... fut la plus forte. Ce fut Mlle Cécile dont le fantôme surgit entre nous. Elle portait, comme d'habitude, une jupe de laine sombre, et un corsage de soie prune strictement fermé par une multitude de petits boutons de nacre violette. Comme d'habitude, ses cheveux poivre et sel, son visage un peu long, au nez bourbonien, étaient fouettés par le vent de l'enthousiasme : son cœur chaleureux, en effet, ne connaissait guère le calme. Elle était pieuse jusqu'au mysticisme, elle aimait ses élèves jusqu'à un dévouement total, son exaltation ne s'apaisait qu'au piano, quand ses doigts noueux et hâlés de paysanne couraient sur le clavier et qu'elle jouait avec une passion retenu Bach, Beethoven, César Franck surtout, dont elle était parente, qui avait été son maître et restait son idole. Elle s'était attachée à Mme de P... avec le zèle de l'apôtre pour le disciple dont il sait pouvoir être compris, et du collectionneur pour la pièce inespérée dont le hasard le gratifie. Quand Mme de P... chantait, à ses « Matinées » on voyait Mlle Cécile rougir, pâlir, et, si on était assez près d'elle, on remarquait l'humidité de ses yeux. Mme de P... lui gardait une reconnaissance vivace et tendre, dont la chaleur se propageait jusqu'à moi. Je compris que, sans elle, je ne me fusse pas souvenu du Cours, mais que, sans moi, elle ne se fût pas non plus rappelé Mlle Cécile, du moins ce soir-là.

Pour ranimer nos souvenirs, il avait donc
fallu que nous soyons réunis. J'en fus
étonné, Mme de P... n'avait pas tenu dans
ma vie une très grande place, j'en avais tenu
une plus insignifiante encore dans la sienne.
Je n'aurais pas été surpris si elle ne m'avait
pas reconnu. Et pourtant, elle m'avait réintroduit dans toute une portion de mon propre passé, et moi, j'avais fait revivre pour
elle quelques moments de sa propre enfance.
Je n'écoutai guère la pièce, je revoyais les
« Matinées » de l'ancienne salle Pleyel, où
Mlle Cécile faisait défiler ses élèves, plus particulièrement celle où ma cousine Suzanne
avait joué le *Rondo* de Mozart; elle n'avait
pas dix ans, je n'en avais pas huit, mais
la musique du rondo sonnait encore à mes
oreilles, et je ressentais encore l'orgueil que
ma cousine l'eût si bien joué. Je me rappelais
le salon de la rue Saint-Honoré ou Mlle Cécile, assise à côté de son piano, écoutait mes
essais lamentables; je retrouvais ma propre
honte, et celle de ma répétitrice, Mlle Zin-
nen, qui m'appelait « mon petit chat », sans
d'ailleurs venir à bout de mon annulaire

rétif, ni du pouce que je ne « passais » jamais comme il faut.

Mme de P... se rappelait sans doute en même temps que moi, des scènes analogues, quoique bien différentes. Je me demandais si les souvenirs suscités par de telles rencontres appartiennent vraiment aux êtres qui, restés seuls, ne se les fussent pas remémorés. N'en résultait-il pas envers les morts, certains devoirs que j'avais méconnus ? Je m'étais toujours dit que je ne pouvais rien pour eux; le fait pourtant, semblait le démentir, puisque ma seule présence, ma seule existence avaient permis à Mme de P... d'évoquer Mlle Cécile.

Soudain, je pensai à Mlle Juliette. Scandalisé jusqu'à l'éberluement d'avoir pu rester des mois, des années sans me souvenir d'elle.

MADEMOISELLE JULIETTE DE MONVEL

Sa maison, sa famille, sa personne, le Cours qui avait surplombé mon enfance et qui était son Cours, le jardin des Lauriers où j'ai vu pour la première fois tailler des rosiers, tout cela qui avait tenu dans ma vie une si grande place, comment avait-il pu en occuper une si petite dans ma souvenance ? Car enfin bien des femmes avec lesquelles j'ai vécu, bien des amis qu'à certaines époques j'ai vus tous les jours, n'ont même pas su, probablement, que Mlle Juliette avait existé !

A présent, elle se dressait devant moi, dure et dense, comme un reproche. Sur son corps bossu, aussi épais que large, guère moins large que haut, était vissée, presque directement, sans cou, sa tête chevaline aux mâchoires trop fortes, au nez trop long, aux dents trop longues, au front trop haut et trop large, où les migraines faisaient périodiquement passer de grands nuages sombres. Ce front commandait tout le visage; même les yeux bleus, globuleux et saillants, semblaient enfoncé sous lui, pour soutenir sa masse. La chevelure crépue de lionne grise ne semblait que le halo de ce front monumental, d'où elle s'éparpillait en mèches innombrables et courtes.

Parfois, j'avais l'impression que Mlle Juliette regardait par le front, et qu'elle continuait de me voir, même si elle fermait les yeux. Quand au contraire ce front était caché

par le grand chapeau de paille qu'elle portait pour jardiner, Mlle Juliette, méconnais-
sable, se transmuait en un énorme insecte,
d'ailleurs bienfaisant, grâce auquel s'épa-
nouissaient les phloxs et mouraient les che-
nilles.

Tout l'après-midi, sa bêche, son sécateur,
son râteau, son sarcloir jouaient, mandibules
infatigables. Elle ne disait rien. Je ne lui
parlais pas, elle ne m'eût pas répondu.

La métamorphose ne cessait qu'au coucher
du soleil. Le travail achevé, elle redevenait
Mlle Juliette, elle venait s'asseoir à côté de
moi, dans le grand fauteuil de rotin où sa
bosse se résorbait. Immobile, enfin détendue,
ses larges narines humant les parfums que
le crépuscule tirait des fleurs, sa figure s'éclairait alors de ce plaisir parfaitement pur que
les sens donnent rarement et l'esprit plus
rarement encore. Son silence m'enveloppait,
comme l'enveloppait elle-même l'ample silence du soir. Elle finissait par le rompre,
rouvrait les yeux, me disait : « Hé bien !
Grand diable ! » Il me semblait discerner la
trace luisante de ses regards sur les plates-

bandes vers lesquelles ils dardaient leur vigilance concupiscente.

Ce pouvoir étrange de raviver les couleurs des objets que l'on contemple je ne l'ai retrouvé chez aucune autre personne, sauf — beaucoup plus tard — chez Colette. Quelquefois, à la Treille Muscate surtout, elle m'a rendu, pour quelques secondes, Mlle Juliette dont elle avait d'ailleurs les cheveux crêpelés et le front monumental.

Je n'ai connu à quiconque plus d'autorité qu'à cette demoiselle infirme. L'idée qu'elle pût inspirer de la compassion ne m'est jamais venue. Bien au contraire. Dans son cabinet, où les parents d'élèves eux-mêmes n'entraient pas sans tremblement, dans son Cours, entourée de ses adjointes, sa sœur Cécile constamment à ses côtés comme Monsieur à côté du Roi, elle rappelait plutôt Louis XIV par son nez majestueux, son grand appétit et son amour des jardins. Tout d'ailleurs bourdonnait de préséances autour d'elle. Il y avait : les « grands » qui nous primaient, nous autres « petits » ou « moyens ». Il y avait les répétitrices, et les professeurs qui primaient les répétitrices. Quant à la famille de Monvel, elle s'étendait si loin que j'en distinguais mal les limites, dans le présent et dans le passé. Parmi les ancêtres, il y avait l'acteur Monvel — et Mlle Mars — et Adolphe Nourrit. Et il y avait les trois frères de mademoiselle Juliette : M. Etienne de Monvel qui était trésorier-payeur je ne sais où, M. Félix, secrétaire général des « Variétés » qui parlait de Lavallière, tantôt avec vénération, tantôt avec hargne, mais qui en parlait toujours, et M. Maurice de Monvel qui avait peint la *Vie de Jeanne d'Arc,* illustré les *Chansons de France;* il portait une charmante barbe de mousse gris-cendre, d'amples vestons gris foncé, il souffrait de la tuberculose, habitait Nemours toute l'année; il avait épousé une demoiselle Lebaigue, « Les Lebaigue du Dictionnaire » comme dans *Monsieur Bergeret* les « Pichon ». Outre Mlle Juliette et Mlle Cécile, trois sœurs faisaient pendant aux trois frères : Mme Halmagran qui vivait en province, Mme Guyot Sionnet, Mme Brissaud, à quoi il fallait ajouter les neveux (il y en avait sept), la nièce, Marie-Louise, dauphine en quelque sorte du « Cours » et de tout ce petit royaume, et les nièces par alliances, parmi lesquelles ma cousine Suzanne. Sans compter les adjointes, à commencer par Mlle Andrée qui suivait partout Mlle Juliette et régnait sur l'« Etude ». Pauvre Mlle Andrée ! Elle trouvait inconvenant que, chez une descendante de l'acteur Monvel, les élèves ânonnent les tirades des grands auteurs. Je l'entends encore essayer de nous faire réciter d'un ton juste, avec des rires sincères, la scène de Monsieur Jourdain et de Nicole. J'entends ses « Hi ! Hi ! ». Sabine Desvallières et moi, nous essayions consciencieusement de faire comme elle. Mais nos Hi ! Hi ! ne valaient rien. Les miens n'étaient pas bons, ceux de Sabine étaient pires. Cette jeune fille au visage long, calme, un peu triste, au teint ambré, aux grands yeux pensifs, ne ressemblait pas du tout à Nicole. Mais Mlle Andrée n'avait pas besoin de réussir pour persévérer.

A quoi il fallait ajouter : les Chopy, Mme Chopy étant la sœur de M. Brissaud (c'est elle qui avait attiré tous les autres à Nemours, où son mari était médecin). Et encore les Worms parce qu'ils possédaient à Saint-Pierre une belle maison, avec un grand jardin où nous allions jouer pendant que les descendants de Mlle Mars parlaient théâtre avec M. Worms et Mme Baretta. Enfin les élèves préférées de Mlle Cécile qui, devenues nécessaires à son cœur véhément, passaient au rang de nièces honoraires, adoptives même, quand c'était Lucie Caffaret.

Tout cet univers, dans lequel une portion de ma vie s'était écoulée et qui me paraissait alors infiniment plus vaste qu'elle, ma vie pourtant l'avait recouvert d'une couche d'oubli que la rencontre de Mme de P... avait soudain transpercée. Ma mémoire y divaguait. Je ne revoyais pas seulement les Lauriers, mais la maison de M. Brissaud, sur la place Saint-Pierre, la maison de M. de Monvel, le long du canal, j'écoutais la voix charmante de Mme Baretta, je retrouvais ma surprise à entendre louer toujours l'articulation de M. Worms, quand j'avais tant de peine à le comprendre, vu qu'il parlait sans desserrer les dents, qui ne lâchaient jamais le fume-cigarette, plein ou vide, autour duquel les mots s'enroulaient et ne parvenaient pas jusqu'à moi. Je me rappelais Rose

Worms qui m'avait, à force de coquetterie, obligé de caresser un crapaud, je me rappelais Bernard de Monvel : avec sa stature royale, ses costumes de dandy, il semblait sortir d'un tableau de Van Dyck.

Mais je luttai bientôt contre la dispersion de mes souvenirs, je ne voulais pas qu'ils s'égaillent, je ne voulais penser qu'à Mlle Juliette ; exalté par son affecteuse munificence, déprimé par la honte de mon ingratitude, je voulais recenser tout ce que je lui devais.

Au sortir de ma première enfance, elle m'a fait pénétrer dans une société grave, quoique rieuse, où personne ne se laissait distraire de l'essentiel, où nul ne se souciait d'autre chose que de l'esprit, du cœur, de son métier, de sa famille, des idées auxquelles il était certain de croire, des êtres et des choses qu'il était certain d'aimer.

Je ne me rendais d'ailleurs pas compte de l'enseignement silencieux qui m'était donné. En dehors de ses cours, mademoiselle Juliette n'aimait pas à expliquer, et elle ne me jugeait que trop enclin au bavardage. Elle ne disait jamais : l'argent n'a pas d'importance. Elle

aurait plus volontiers dit le contraire; mais
en fait, autour d'elle, et chez elle, l'argent
comptait peu; on en gagnait tantôt plus,
tantôt moins, sans jamais y penser beaucoup.
On ne croyait pas en lui, on croyait à la
science et au talent. M. Chopy était un bon
médecin, il ne manquait pas de clients.
M. Brissaud et M. Reclus, eux, étaient des
membres célèbres de la Faculté de Médecine : pourtant il n'y avait entre eux et lui ni
hauteur ni aigreur... Ceux qui avaient beaucoup d'argent (les familles riches n'étaient
pas rares au cours de Monvel), on les regardait sans admiration, sans envie, avec une lé-
gère nuance de moquerie, comme des voya-
geurs trop chargés de bagages. Mlle Juliette
accueillait leurs filles sans joie : elle pensait que la fortune des parents rendrait
un peu plus difficile sa tâche d'éducatrice,
mais qu'après tout, elle était là précisément
pour faire face à cette difficulté. Elle comptait pour la résoudre sur l'atmosphère du
Cours, sur la simplicité et la gentillesse qu'elle
imposait à ses élèves; bientôt, en effet, la
« nouvelle » après avoir fait un peu étalage
de son luxe, tâchait spontanément d'en

amortir l'éclat. Je ne me rappelle pas que Mlle Juliette m'ait jamais donné aucune leçon de goût. J'en avais pourtant bien besoin, et elle ne pouvait pas l'ignorer. C'était l'époque où la laideur des intérieurs bourgeois culminait, ceux que je connaissais étaient vraiment hideux : les meubles de poirier noir, les buffets Henri III, les suspensions de cuivre, les murs des cloisons peints en chocolat, n'excluaient même pas les chinoiseries de pacotille, les coussins décorés, les bibelots de verre, les porcelaines de Copenhague écrasées d'ailleurs par le voisinage de bronzes de Barbedienne. Mais Mlle Juliette ne le disait pas. Elle n'en parlait pas. Elle laissait parler sa maison.

C'était une maison de xviiie siècle, humble d'ailleurs, et que son humilité avait sans doute défendue contre les embellissements et agrandissements désastreux. Elle disposait tout juste de l'espace nécessaire, entre un jardin qui n'était pas grand et une cour toute petite, qu'elle séparait l'un de l'autre. Le rez-de-chaussée, dont la porte n'avait qu'un seul battant, ouvrait sur le vestibule que terminait l'escalier; à gauche, le salon, à droite

la salle à manger que prolongeait la cuisine;
au premier étage, la chambre de Mlle Juliette, celle de Mlle Cécile, celle de Marie-
Louise jamais vide quoique rarement occupée par sa propriétaire légitime; quelques autres chambres plus tard furent re-
prises sur le grenier. Le salon était bas et
son plafond avait gardé ces poutres appa-
rentes dont les ombres et les lumières vous
reposent, à votre insu. Deux fenêtres sur le
jardin, deux fenêtres sur la cour; la maison
n'était pas profonde. Au sol, de petites
tomettes rouges, hexagonales, donnaient
dans les journées chaudes une plaisante sen-
sation de fraîcheur; dans le salon les meubles
rustiques et confortables, venus de bric et de
broc, avaient noué ensemble une amitié évidente : Mlle Juliette préférait la petite
bergère basse et profonde, où sa bosse
ne la gênait pas; je préférais le fauteuil
Voltaire, juste à gauche de la fenêtre et à
droite de l'étagère où les couleurs claires des
livres brochés répondaient à celles des cre-
tonnes; devant un large canapé, face à la
cheminée où le feu flambait, même en été,
à la tombée du crépuscule, la grande table

rectangulaire sur laquelle Mlle Juliette empilait les copies à corriger, les lettres auxquelles il fallait répondre, les cahiers, les carnets de toutes dimensions et de toutes couleurs. Devant les fenêtres, côté jardin, les lauriers-roses qui avaient donné leur nom à la maison; du côté cour, des rosiers blancs qui fusaient, grimpaient jusqu'aux balcons des chambres, pour tâcher d'atteindre les tuiles du toit. Dans le jardin, je me rappelle des buis géants, un sophora, un grand marronnier rose; et, devant la maison, les plates-bandes qui, malgré leur exiguïté, réclamaient insatiablement de nouveaux soins. C'est là que j'ai connu l'agrément des murs épais, des pièces pas trop hautes, le charme des toiles de Jouy, là aussi que j'ai appris à distinguer le chèvrefeuille du troène, le rouge-gorge de la mésange, là que j'ai chanté la première chanson que j'aie sue :

> Auprès d'une fontaine
> Tircis mourant d'amour...

Je la chantais d'ailleurs faux.

Mlle Juliette ne voulait jamais user de son prestige pour nous faire aimer un livre, une musique; sa façon de tenir le livre, d'écouter la musique, suffisait. Elle ôtait leur importance aux choses qui n'en ont pas, par une certaine façon d'être distraite, quand on lui en parlait. Comme à cache-tampon on vous crie : tu brûles, tu gèles, elle devenait attentive, jusqu'à rayonner de compréhension à mesure qu'on se rapprochait de la justesse. Colette aussi, dans les derniers temps de sa vie, devenait plus ou moins sourde selon qu'on était soi-même plus ou moins ennuyeux. Je me rappelle une promenade en automobile, avec elle et Maurice Goudeket, sur la route de Ville-d'Avray, où elle voulait revoir une fontaine. Je parlais avec Maurice Goudeket, elle semblait ne rien entendre. Mais tout à coup, je prononçai je ne sais à quel propos, le nom de Polaire. Elle l'entendit fort bien, et parla de Polaire, merveilleusement, pendant cinq minutes. C'est ainsi que le mutisme peut vous enseigner.

Oui, j'aurais mieux fait de voir davantage Mlle Juliette, quand elle vivait, et d'y penser davantage depuis qu'elle ne vit plus !

Tant d'erreurs, de sottises qui me vexent

— sans même parler de celles que je me reproche — n'eussent pas résisté à cette référence. Combien d'objets qui m'on fait envie, aux étalages, combien de livres que j'ai cru ou fait semblant de croire bons, alors qu'ils ne l'étaient pas, pour me désabuser de leur clinquant, il aurait suffi de me demander si j'eusse porté cet objet-là, aux Lauriers, donné ce livre à lire à Mlle Juliette, sans qu'elle me dise : « Alors vraiment, cela te plaît ? » Et le referme.

Malheureusement, plus je fais d'efforts pour me la rappeler, plus je sens qu'elle est morte. Car le peu de phrases qui me restent d'elle, forme un disque dont la pauvreté me consterne. J'entends : « Hé ! Grand diable! » et le disque s'arrête. J'entends : « Sais-tu bien ta leçon ? Sinon, je ne veux pas que tu t'assoies à côté d'Yvonne Pannelier et qu'elle te souffle. » Un trou, ici, perce le mur d'oubli. J'aperçois la grande salle du Cours, la chaire noire entre les deux fenêtres, face aux fenêtres, les deux portes à doubles battants, le long des murs, serrées les unes contre les autres, les chaises des mères ou des gouvernantes, devant les chaises dorées, nos bancs, avec nos pupitres et leurs petits encriers; il y avait en outre deux bancs transversaux, juste sous la chaire. Les mauvais élèves les évitent. Yvonne Pannelier, au contraire, s'y place toujours. C'est qu'elle est toujours première, ex-æquo avec Geneviève Desvouges, à la vérité. Mais j'aime mieux Yvonne Pannelier, parce qu'elle a des boucles noires, brillantes, une figure ronde que les fossettes égayent et que les taches de rousseur illuminent; sa robe écossaise, son col de guipure, ses bottines jaunes sont tellement nettes, dans mon souvenir, que je pourrais, il me semble, compter les plis du cuir et les motifs de la dentelle.

Mais si je ressens encore l'étonnement d'avoir été percé à jour par Mlle Juliette, je n'ai aucune idée de ce que pouvait être cette leçon qu'il importait tellement de savoir. Je revois bien mes camarades : Marianne Lafolie à côté d'Yvonne Pannelier, et sur le banc de droite, Sabine Desvallières, à gauche de Geneviève Desvouges. Leurs visages sont tellement vivants qu'elles semblent toutes prêtes à me parler, à me répondre.

Mais Mlle Juliette ? Je ne la revois pas.

C'est en vain que je l'appelle. Elle ne répond pas. Elle ne me répondra jamais plus. Elle est morte. Jadis, quand je m'embrouillais dans les accords de participes, ou quand je confondais Philippe Auguste et Philippe le Bel, elle me regardait d'un air plus triste encore que sévère. A présent, que je fasse des fautes ou que je n'en fasse pas, que je sois attentif ou dissipé, que je vive ou que je meure, tout lui est égal, comme aux statues de Vénus les colombes posées sur leurs épaules de pierre.

Aussi bien, les participes ne me font plus peur, et les bons points ne me font plus envie; ils ne me vaudraient plus les félicitations de mes parents, ni la considération d'Yvonne Pannelier, qui, si elle vit encore, a changé de nom, et sûrement oublié mon existence. Tout cela est mort, Mlle Juliette est morte; dans le cimetière elle est un cadavre; dans ma mémoire, elle n'est qu'une chétive collection de gestes et de phrases. Ainsi dans les cimetières que le passant visite, les morts dont il voit les tombes se réduisent, pour lui, à leur épitaphe. Le travail silencieux du temps a transmué peu à

peu sa vie en parole, il transmuera la parole
en néant. Je croyais que ma mémoire avait
seulement négligé le souvenir que je lui avais
commis; je me trompais, elle l'a embaumé;
je lui avais confié une personne, elle en a
fait un gisant dont elle ne cesse de simpli-
fier les volumes, sa rigidité ne cessera pas de
croître, jusqu'à ce qu'elle s'effondre.

Je croyais aussi que ce souvenir m'appartenait. Il ne m'appartient pas. La sérénité de
mademoiselle Juliette, sérénité que je lui ai
sans doute attribuée, mon imagination elle-
même s'avère impuissante à la troubler. Je
sais que Mlle Juliette était sincèrement
chrétienne. Sans nulle bigoterie certes :
il y avait autour d'elle beaucoup de pro-
testants, de juifs, de libres penseurs; elle était
dreyfusarde; le curé de Saint-Pierre ne la
voyait pas toujours d'un très bon œil. Un
jour, en sortant de la messe, elle dit qu'il
avait parlé, dans son sermon, des « maisons
à thé ». Elle en riait : « Vous pensez s'il
était content d'avoir trouvé cela ! » Mais
enfin, il est impossible que son salut ne l'ait
pas inquiétée; sa santé aussi; car sa bosse

n'était qu'une manifestation de la tuberculose, laquelle pouvait, à tout moment, prendre d'autres formes. Je suis bien persuadé qu'elle a eu sa part d'angoisses. Mais ma mémoire se refuse à en tenir compte. Sur ce souvenir figé, je n'ai pas de prise, l'image conserve tout son calme.

Mais je doute que j'aie pu lui attribuer cette maîtrise de soi, si elle ne l'avait, elle-même, conquise. Car, dans ma mémoire, les morts ne sont que trop nombreux; et ceux qui gardent cette fixité sont rares. Ma cousine Suzanne, elle aussi, reste toujours pareille à soi, mais dans la vie, elle avait la même constance que Mlle Juliette : elle aimait la musique, les bonbons de chocolat, son mari; mais elle les avait toujours aimés; elle s'était fiancée à quinze ans, ses regards après quarante années, n'avaient pas changé, quand ils se posaient sur l'homme qu'elle avait choisi : regards bleus, dans lesquels dansaient l'admiration, la tendresse, la timidité et une pointe de moquerie. Ses idées, sa manière de parler n'avaient pas changé non plus, depuis le temps où elle était petite fille. Elle avait aimé Mozart à dix ans, elle l'aimait toujours à soixante. Ce qui, dans la première jeunesse, avait pu sembler chez elle naïveté, se révélait candeur et bonté, à mesure que l'âge la mûrissait; mais elle jugeait toujours de la même façon les événements et les personnes. Elle comprenait mal l'hésitation : « Enfin ! est-ce qu'il l'aime ou est-ce qu'il ne l'aime pas ?... Evidemment, si elle l'aime, il faut bien qu'elle l'épouse... Veut-il faire de la médecine ou veut-il gagner de l'argent ? »... Elle était sûre de l'existence de Dieu comme elle était sûre de l'excellence des caramels de chez Boissier. Elle n'a jamais envisagé d'habiter un autre arrondissement que le sixième, ni, sauf accident, de rester un jour sans travailler son piano, et sans jouer, le soir, à quatre mains avec son mari. Sa vie était une citadelle, dont les murailles abruptes s'élevaient toujours davantage. Voilà pourquoi j'avais fini par la voir peu. Mais je me suis toujours senti heureux, détendu auprès d'elle, à cause du calme que répandait sa personne, où il n'y avait d'ailleurs rien à admirer, sauf l'extrême clarté de son teint, et non plus rien à reprendre : cheveux châtains, taille moyenne, nez moyen, bouche moyenne, mais il en avait

52

toujours été ainsi. Comme elle n'avait pas de beauté, l'âge l'avait laissée intacte. La mort n'a pas eu à la changer, elle n'a fait que la fixer à jamais.

Ces êtres stables valent mieux que les autres, je le sens. Mais ce sont aussi ceux que j'oublie le plus. Comme je change et qu'ils ne changent pas, tout m'en éloigne. Comment d'ailleurs penser à eux ? Mlle Juliette m'a dit ce qu'elle avait à me dire. Je l'ai mal écoutée; mais cela aussi me paraît irréparable. A quoi bon feindre de lui rendre je ne sais quelles visites ? Le petit garçon qui les lui faisait, quoique ma vie continue de charrier son cadavre, il n'est pas moins mort qu'elle. Aurait-elle plaisir à me revoir ? Je voudrais en être sûr, je ne le suis pas A quoi bon ? Je ne pourrais que substituer à des sentiments qui furent vrais, des mots vains et des gestes inefficaces, de même que ma mémoire a, peu à peu, substitué à une personne vivante, un simulacre inerte. Toute la portion de mon enfance que Mlle Juliette soutenait, comme une cariatide difforme, s'est effondrée avec elle, avec tous ceux qui l'ont précédée ou suivie dans la mort, ses sœurs, ses frères et même sa nièce, qui était plus jeune que moi, et la plupart de ses neveux, et ma cousine Suzanne, morte elle aussi. J'ai passé par Nemours, je n'ai même pas osé sonner à la porte des Lauriers. J'avais trop peur de ne plus voir le sophora dans le jardin. A quoi bon feindre qu'on retrouve les choses anéanties et les êtres disparus ? On ne les retrouve pas, ni en ce monde, ni sans doute dans aucun autre. Car, s'il n'existe pas, ou s'il ne ressemble nullement au monde dans lequel je vis, je ne verrai plus rien de ce que j'ai vu, et s'il lui ressemble, ma mémoire m'en donne déjà un avant-goût, elle en trace le plan. Or il n'est pas vrai qu'elle conserve mon passé, elle édifie plutôt, par un travail incessant, avec l'aide fraternelle que l'oubli lui apporte, l'immense nécropole qu'elle substitue à mes existences successives. Presque tout mon passé, elle en fait un grand désert de sable, sur lequel, de place en place, elle érige ces étranges statues, solennelles qui s'effriteront sans doute à leur tour. Mais ces statues-là ne ressemblent guère aux êtres qu'elles glorifient. Ma cousine Suzanne avait été une fillette affectueuse, musicienne et gourmande, avec laquelle je me battais souvent. Et je ne peux empêcher que, dans ma mémoire, elle devienne un tableau de Manet, et même une sainte Cécile de vitrail. C'est que ma mémoire ne conserve pas mon passé, elle le trie, elle le transmue. Elle ne retient pas les choses, mais les signes, et non le voyage dont elle ne pourra jamais me rendre les balancements, mais le journal de bord, la collection de notes que j'avais prises et qu'elle me donne à relire. Les phrases que, dans la vie, Mlle Juliette prononçait, ma mémoire n'a pu les garder qu'à condition d'en faire des phrases gravées. C'est pourquoi j'ai beau épuiser mes forces à tirer vers moi sa statue, elle ne bouge pas de son socle; elle n'en bougera pas; j'aurai beau l'implorer, elle ne me donnera plus rien; l'ami qui vient de me téléphoner et qui est malheureux, elle ne lui apportera aucune aide. « J'irai vers elle, comme il est dit, elle ne reviendra pas vers moi. »

C'est là sans doute ce qui m'empêche de penser à elle davantage, elle ne m'écoute plus, elle ne me regarde plus; ses yeux immobiles me présagent ma mort, on dirait qu'ils l'attendent, ils ne me parlent que d'elle.

Pourtant, je ne croyais pas avoir tellement peur de la mort. Tout jeune, les épouvantables souffrances de mon père m'avaient fait voir en elle un recours, avant d'y voir une menace. Je l'appelais parfois, au moment de m'endormir, tant ma douilletterie craignait la douleur. Bien des fois je l'appelle encore. L'idée qu'elle peut s'insinuer en moi, à mon insu, pendant mon sommeil, le rend plus facile.

Mais si elle-même ne m'effraie pas, je n'en recule pas moins, terrifié, devant tout ce qui l'accompagne, qui l'annonce, qui l'implique. Je ne crains pas la mort, mais je ne peux durer devant les tombes des miens; je n'y trouve aucune consolation, je me perds dans ces allées identiques, et quand j'ai enfin retrouvé la guérite de ciment, pareille aux autres, je n'ai pas le sentiment que mes parents soient là, mais plutôt qu'ils y sont moins que partout ailleurs; je me tais, j'écoute, je n'entends que ma propre voix, grondante des reproches que je m'adresse, comme s'il ne restait, de ma mère et de mon père, que mes remords et que leurs griefs.

C'est une peur analogue quoique différente, qui me fait écarter de moi les souvenirs qu'au contraire je devrais accueillir le plus joyeusement; c'est elle, sans doute, qui m'a fait rester des années entières sans penser à Mlle Juliette, dont la maison, pourtant, était pleine de meringues, le jardin plein d'oiseaux, et à laquelle on dirait que je ne peux penser sans frisson.

Peur absurde, menteuse, peut-être ! Ma mort est intriquée à ma vie, je le sais bien. Qu'on essaye donc de les séparer, la vie aussitôt devient si nauséabonde que les cœurs les plus solides ne peuvent y tenir; car c'est elle, non la mort, qui fait puer les charognes qu'elle peuple de larves, elle qui plaque les chancres sur les chairs, qui fait surgir, des mousses décomposées, les champignons vénéneux. Claude Bernard disait : « Le terrain fétide de la vie. » Ce que la mort s'approprie, elle le rend net.

Souvent, d'ailleurs, j'ai essayé de regarder

ma vie qui coule, une fois encore, j'essaie. Les circonstances ne sont pas défavorables. Je suis seul, le soir tombe, les enfants ont quitté le préau, les pigeons suspendent leurs poursuites et leurs picorages. Je me tais moi aussi. J'écoute...

Hélas ! je ne peux pas saisir ce grouillassement. C'est impossible ! Les souvenirs, les désirs, les idées, les images surgissent, par bancs qui se recoupent, se superposent, et chacun est innombrable, et le moindre des éléments qui les composent, dès que je tâche de l'isoler, pour le mieux voir, il grandit, il grossit, jusqu'à ce que je retrouve en lui le pullullement même d'où je pensais l'avoir tiré. Le petit passage qui relie la rue Montpensier à la rue Richelieu, et que je prends pour aller acheter mon tabac, chacune de ses marches contient trop d'espoirs, de déboires, de soucis, de rancœurs pour que jamais je les dénombre, le restaurant, la librairie qui le bordent, dès que je fixe sur eux mon attention, ils deviennent d'énormes vasques d'où les souvenirs, inépuisablement, jaillissent. En vain, je hale le filet, toujours viennent de nouvelles mailles, pleines d'algues et de mollusques. Ce tourbillon absurde de rêvasseries colloïdales, c'est donc cela, ma vie !

Heureusement, ce je ne sais quoi, qu'aucune analyse ne parvient à épuiser et qu'aucun langage n'exprime, la mort, par son travail méticuleux, parvient à lui conférer un minimum de rigueur. Dans cette gelée putride, elle coagule quelques cristaux; mais au prix de quelle patience, puisque au moindre germe oublié, le pullullement reprend de plus belle, comme dans les infections qu'un antibiotique a combattues, sans les extirper !

Rares, bien rares les souvenirs qui résistent au flux baveux de la vie, qui parviennent à durcir sans pourtant devenir trop friables ! Ils s'installent alors dans le pays de pureté où les choses se transmuent en signes, les êtres en parole, et les chairs en albâtre ! Pays exigu !

Ces souvenirs sacralisés, ils nous rebutent d'ailleurs, ils nous gênent, ils nous dérangent, nous détournent de nos travaux frivoles.

Mais quelle serait notre déchéance, s'ils

étaient soudain abolis, comme il nous arrive
de le désirer ! Notre passé, sans eux, perdrait
toute sa profondeur, et notre personne sa
dignité, l'incompréhensible cesserait d'être
absurde pour devenir pur écrasement, il ne
susciterait même plus la révolte; nous res-
terions, tels que nous sommes, face à notre
mort, et seuls. Nous ne serions plus admis à
rien, exclus de toute fraternité.

Evoquer ces souvenirs nous est difficile,
et pénible; car nous ne le pouvons pas
sans faire, au moins pour un moment, notre
paix avec la mort. Tant que je ne consens
pas à me détourner de la femme qui passe,
du panneau-réclame qui m'aguiche, du journal dont les gros titres surexcitent ma curio-
sité, de l'argent qu'il faut que je me procure,
du livre même que je dois écrire, Mlle Juliette ne peut sortir de l'ombre où elle demeure. Mais si, une fois, optant quand même
pour elle, je reconnais qu'elle leur est pré-
férable, autant qu'un poème à une émotion,
un tableau à son motif, sa statue délaissée
s'illumine; je me trouve réintroduit dans la
nécropole à l'entrée de laquelle elle se dresse

dans le fauteuil d'osier où elle est trop solidement figée pour dire aucune parole qu'elle
n'ait déjà dite; et, comme dans ces petits
cimetières du pays Basque d'où on prend une
vue tellement apaisée sur les champs et sur
la mer, je vois émerger devant moi par mas-
ses les souvenirs que je croyais abolis.

Derrière le salon des Lauriers apparaît, sans
que je sache pourquoi, le salon de la rue de
la Victoire, où M. et Mme Zadoc-Kahn se
tiennent, lui à droite, elle à gauche de la
cheminée, chacun dans un fauteuil de ve-
lours rouge, la tête bien couverte, elle par
un fichu de mousseline, lui par une calotte
de soie noire; le feu de bois crépite, les cuivres des chenets et les cuivres des lampes lui-
sent du même éclat que les candélabres de
la synagogue. Je suis entre les deux fauteuils,
sur un tabouret. M. et Mme Zadoc-Kahn
ne parlent pas, ils sourient, d'un sourire
rassurant. Eux aussi, pour enseigner, ils
comptaient plus sur le silence que sur la
parole. Ils ne disaient pas : croyez en Dieu,
ils montraient la sérénité allègre que leur
donnait leur croyance. Ils n'étaient pas bi-

gots : avec leurs petits-fils et leurs petites-
filles, je me rappelle avoir chanté, des après-
midi entiers :

> De quoi est-ce qu'il y a trois
> Il y a Troie en champagne
> Il y a deux testaments
> L'ancien et le nouveau
> Mais il n'y a qu'un Dieu
> Qui règne dans les cieux.

Sans doute, M. et Mme Zadoc-Kahn
n'étaient pas avec nous, sur la route, mais je
suis persuadé qu'ils ne nous auraient pas
repris.

M. Zadoc-Kahn avait été l'ami de mon
grand-père Lange; sa femme l'amie de ma
grand-mère. Quand il venait la voir, il ne
lui parlait pas de l'autre monde ni de la vie
future, mais il la faisait penser moins dou-
loureusement aux êtres qu'elle avait perdus;
après son départ, elle me faisait mettre quelque pièce d'argent dans le petit panier tire-
lire sur lequel était écrit : « Enfants heureux,
pensez aux enfants malheureux »; elle ouvrait son chiffonnier, elle en tirait une lettre
de son mari, une de son fils, tantôt elle me les
lisait, tantôt elle ne me les lisait pas; mais

dans son œil bleu, dont la pupille était voilée par le cône blanchâtre de la cataracte, je ne voyais pas de larmes.

LE JARDIN DE LOUVECIENNES

A côté du jardin des Lauriers, apparaît le jardin de Mme Mayer, à Louveciennes, la maison très blanche, avec ses balcons légers comme les feuillages des arbres vers lesquels ils se tendent. La véranda couve prudemment sa moiteur sous ses claies. Sur la table, les jattes de confiture scintillent, à l'ombre de la cafetière et du pot de lait. Je suis le premier à descendre. Je soulève le rideau de lattes, timidement, parce que j'ai peur de le casser, j'entrouvre la porte-fenêtre que je voudrais silencieuse, et qui grince; l'odeur du matin, de l'herbe, et des fleurs vivantes fait irruption, elle balaye d'un coup, les senteurs un peu fades que les fleurs coupées exhalent pendant la nuit. Je m'assieds, je ne bouge plus, bientôt j'entends le tintamarre des persiennes qu'on fait claquer, des pas dans l'escalier; trois filles, trois garçons, tous trois plus âgés que moi, et plus savants, et plus robustes. Ils se dépêchent, ils vont tous à Paris, travailler : avant de partir, ils déplient les journaux, commentent les nouvelles, cherchent si elles suggèrent des calembours qui les amusent. Lucienne encore à jeun cite déjà des vers; Mme Mayer descend enfin, toute menue, et voûtée dans son peignoir. Chaque matin je m'étonne qu'un être si grêle ait produit et répandu autant de vie.

Elle avait l'air d'un squelette. Il me semble qu'elle n'a pas changé depuis la première fois à la dernière fois que je l'ai vue, et j'ai peine à croire que la mort soit venue à bout de cette fragilité indestructible. Elle ne s'arrêtait pas de nettoyer ses placards, de les ranger, de désherber son jardin; orgueilleuse de lui et de tout son ménage. Un chirurgien à qui elle montrait sa maison lui dit : « Ça vous donne envie d'opérer. » Aucun compliment ne lui a fait plus de plaisir. Ses enfants, leurs femmes, leurs maris, leurs amis, ses amis à elle, son frère, son neveu, tout cela s'entassait chez elle sans qu'elle parût jamais surchargée. Assurée de sa table sans défaut, elle accueillait en chaque convive l'admirateur qu'immanquablement il allait devenir. Dans le domaine qui était le sien, elle n'imaginait pas l'échec. Un de ses fils lui demandant « une bouteille de bon vin » pour fêter je ne sais quel succès, elle se redressa et dit : « Il n'y a pas de mauvais vin dans ma cave. »

Elle était extrêmement attentive; mais elle ne s'intéressait qu'aux choses et aux êtres qu'elle aimait. Elle ne connaissait pas la malveillance, non qu'elle fût indulgente, loin de là; mais la malveillance eût exigé un peu de l'attention dont elle ne laissait pas détourner une parcelle vers ce ou vers ceux qui lui paraissaient ne pas la mériter.

Je ne peux l'imaginer différente de soi, même dans sa jeunesse. Cette immuabilité n'est pas une simple illusion de ma mémoire : la maison de Louveciennes subsiste; la véranda, la salle à manger, le salon, le jardin je les retrouve tels qu'en 1912. Ils n'ont pas changé, on dirait que Mme Mayer continue à les surveiller. Depuis qu'elle est morte, sa fille, comme il arrive souvent, lui ressemble davantage. C'était une jeune fille nonchalante, elle s'installait sur le canapé de la véranda ou sur une chaise longue, dans une allée, avec un châle et un livre, trouvant toujours qu'il faisait trop chaud pour bouger, ou trop mauvais pour sortir; à présent, elle aussi désherbe les plates-bandes, travaille au pied les pruniers, nettoie les placards et médite les recettes de confitures. Elle était moqueuse jusqu'à la férocité; elle ne l'est plus guère, sa moquerie peu à peu a fait place au dédain; la morte a saisi la vive. Je crois bien avoir rencontré chez Mme Mayer, chez Mlle Juliette, chez Mlle Cécile, chez quelques autres disparus, une constance qu'il me semble ne plus rencontrer.

Je sais, il est vrai, que ma mémoire en appauvrissant mes souvenirs, confère aux êtres dont elle se souvient une stabilité qu'ils n'avaient pas, au même degré, quand ils vivaient. Plus le temps coule, plus se simplifient les volumes de ces étranges statues. De même que les ombres, en s'allongeant marquent le déclin du jour, chaque année, leurs lignes se font plus austères, et leurs leçons

plus graves. Elles m'avertissent que tout ce
que je fus, tout ce que je suis, tout ce que
j'aime se réduira d'abord au langage et se
résorbera enfin dans le néant; que je dois y
acquiescer, qu'étant mortel je dois aimer la
mort, comme, étant vivant, je dois aimer la
vie. Elles m'invitent à préférer au monde
plus savoureux des choses, le monde plus
terne mais plus solide des signes. C'est ainsi
que Mlle Juliette, sans rompre son silence
éternel, me donne, pourtant, une dernière
leçon : elle m'enseigne que le culte des
morts est nécessaire, malgré les difficultés
auxquelles il s'achoppe, malgré les risques
qu'il comporte et que je pressens, malgré les
intermittences auxquelles, inévitablement, le
condamne la dissipation inhérente à l'état
même des vivants. Cette nécessité, je discerne mal ce qui la justifie ni ce vers quoi
elle tend; elle s'impose à moi quand même.
Il eût mieux valu que je pense davantage à
Mlle Juliette; la statue veut ma piété, elle
ne m'en dit pas la raison.

Maintenant, ce sont les heures profondes
de la nuit. J'arpente une dernière fois le cou-

loir de l'hôpital. Il est parfaitement silencieux. Long navire immobile et muet, il me semble pourtant que je le sens tanguer entre la vie et la mort, qui derrière les portes fermées de ces chambres se disputent les malades éveillés ou endormis. Capitaine de ce navire, l'infirmière de nuit veille, dans sa cabine vitrée. Elle écrit, sa blouse blanche penchée sur le papier blanc. Ces malades invisibles à présent, ils se réduisent aux pièces des dossiers qu'elle s'efforce de bien tenir à jour et que, demain, les docteurs examineront avant d'examiner les malades; car, ils le savent, l'aspect des malades peut les tromper, leurs paroles peuvent les induire en erreur, au lieu que les chiffres alignés par l'infirmière sont certains, eux, et implacables.

II

OMBRES

Puisque je dois penser aux morts et le sais, pourquoi donc ce malaise, dès que je pense à eux ? Je n'ai pas moins mauvaise conscience, quand je me tourne vers eux que quand je m'en détourne.

Impies, dès que nous les négligeons, suspects dès que nous les honorons. Honneurs dérisoires, nous-mêmes n'en sommes pas dupes, aux moments mêmes où nous les leur rendons ! Ces gerbes, ces couronnes, les morts sont bien leurs destinataires nominaux, presque toujours, leurs destinataires réels sont vivants: la veuve, non pas le décédé. Dans les cimetières, autour des tombes, comment discerner la fidélité de l'ostentation, la tristesse de l'espoir, le recueillement de l'impatience, la piété du sacrilège ? Moi-même, dès que je m'y trouve, je me sens ballotté, tiraillé en sens contraires par le scrupule et par le remords.

Je sais trop que ma mémoire est infidèle non moins qu'oublieuse : la plupart de mes souvenirs, elle les a perdus ; ceux qu'elle a gardés, elle les a changés. Pareille aux conservateurs de musées que Renoir dénonçait, et qui, sous couleur de les sauver, gâchent les tableaux qu'on leur confie.

Beaucoup de gens, il est vrai, disent que ma mémoire est innocente, qu'elle me livre, intacts, tous mes souvenirs, que du moins, elle est toujours prête à le faire, que moi seul, je les perds et les fausse par mon égoïsme, mon inattention, mes concupiscences.

Mais j'en doute. Hier encore, ma mémoire me rappelait spontanément, sans que je la sollicite, un de ces souvenirs qui semblait donc reparaître, tout seul et dans toute sa fraîcheur.

LES PONEYS

C'était dans mon enfance, à la campagne. Je travaillais à je ne sais quel devoir. Mon père m'appelle ; je descends vite le rejoindre, devant la maison du jardinier. Et je découvre, émerveillé, près de la grille, déjà ouverte, attelés à la charrette les deux poneys qu'il vient d'acheter, et qui attendent, au soleil, prêts à partir. Mon père me dit de les caresser, il me glisse, furtivement, dans la main, deux morceaux de sucre pour que je les leur donne moi-même ; vraiment, je les revoyais, je les revois avec leurs yeux tendres, leurs belles crinières, leur poil luisant, je crois bien que je sens encore bouillonner, dans mes veines, la joie, l'admiration, la reconnaissance, la fierté, la peur aussi ; car les poneys qui ont vu le sucre montrent des dentures plus menaçantes que je ne l'avais supposé ; près de moi, à ma droite, sous son canotier noir, mon père me sourit. J'ai d'abord pensé, moi aussi, que mon émotion présente était un relent, un écho de l'émotion passée qui se répercutait dans ma mémoire. Mais, regardant avec plus d'attention le personnage magnifique et généreux, qui me donne les morceaux de sucre, je discerne, derrière lui, en filigrane, un autre personnage, ou plutôt le même, mais non plus debout — couché dans une chemise de nuit mauve ; il ne sourit pas, lui, il ne parle pas, ne bouge pas ; il respire seulement d'un souffle inégal et oppressé ; sa figure est ocre, ses lèvres sont violettes. Et cette image-là est liée à l'autre d'un lien inextricable, car je ne peux pas revoir mon père, devant les poneys, sans le revoir, dans son agonie. Et je comprends que mon émotion même vient précisément de là. Il n'est donc pas vrai que je l'aie exhumée, comme je me l'étais figuré d'abord, puisque j'y trouve tout de suite des éléments qu'elle ne pouvait pas inclure ; elle les a mêlés aux éléments plus anciens ; mais c'est elle pourtant qui confère à ceux-ci leur authenticité, et non pas eux qui lui communiquent la leur : il faut croire qu'elle en omet beaucoup car je cherche et n'arrive pas à me rappeler si j'attendais ou non les poneys, si on m'avait dit qu'ils devaient venir, ou si, au contraire, mes parents m'en avaient réservé la surprise.

Je n'ai donc pas revécu, fût-ce d'une vie plus faible, anémiée par le temps, la minute où j'ai découvert les poneys ; si j'avais pu la revivre réellement, mon passé serait intact, je ne serais pas mortel, mon père ne serait pas réellement mort ; je pourrais de nouveau me précipiter chez Mme Rigade pour lui annoncer l'heureuse arrivée de la charrette et de son attelage ; je la trouverais encore, dans son humble salon, sous son plafonnier, entre son buffet et sa plante verte que je voyais grandir, près du fauteuil où se blottissait M. Rigade, qui déjà ne pouvait plus se lever, et qui est mort, ainsi que sa femme, avant la guerre de 1914.

Mais il n'en est rien. La parcelle de mon passé que je croyais revivre, je ne peux même pas l'atteindre, elle se situe au delà de ma mémoire; le cliché n'est pas seulement retouché, il est brouillé ; on a omis de retirer la plaque; on a pris sur elle d'autres photos ; rien ne le restaurera, dans son état premier. Rien, pas plus une brise marine que la saveur d'un gâteau. Mon émotion présente est différente, radicalement, de celle à quoi elle se réfère. Elle peut être plus intense, plus riche, comme le portrait d'une personne morte, s'il est l'œuvre d'un grand artiste, peut signifier beaucoup plus que le visage de cette même personne, quand elle vivait. C'est que les émotions revécues tiennent plus de l'œuvre d'art que de l'émotion primitive dont elles se réclament. Aussi voyons-nous que les grands artistes les peignent avec une vigueur qui, toujours, nous étonne. Ils les rendent indiscutables: et pourtant, il est rare que notre sens intime et notre expérience confirment ce qu'ils nous en rapportent : c'est qu'ils ont pris pour une donnée de leur mémoire ce qui était une création de leur génie. Ils nous persuadent, ils se persuadent eux-mêmes qu'ils ont vraiment vécu ce qu'ils nous racontent, mais ils nous persuadent tout aussi bien que des personnages, des pays imaginaires étaient réels. Seul l'acquiescement que l'admiration nous impose, nous empêche de remarquer ici le trompe-l'œil. Tolstoï nous donne ainsi l'illusion de revivre la joie de Levine, au matin de ses fiançailles. Pourtant, il commence par nous dire : « Ce que Levine vit, ce jour-là, il ne devait jamais le revoir. » Or, il est évident que si Tolstoï lui, le sait, Levine ne le savait pas ; il a certainement cru, au contraire, que les boulangeries exhaleraient toujours, à l'avenir, le parfum enivrant qu'il leur découvrait, que le monde ne retombe-

rait plus dans l'ornière dont il venait d'être
tiré par le bonheur. S'il avait compris que
son ravissement ne durerait pas, ne pouvait
pas durer, ni recommencer, il l'eût, par là
même, terni d'un voile mélancolique. Le
confident qui aurait pu accompagner Levine
ce matin-là serait donc déconcerté, autant
qu'émerveillé, par le récit de Tolstoï, comme
ont dû l'être les amis de la famille Char-
pentier par les portraits de Renoir.

Mais l'œuvre d'art porte en soi sa propre
justification, le souvenir, non pas. Un peintre n'a jamais tort d'avoir peint son tableau,
tout au plus a-t-il tort de l'avoir raté. Au lieu
qu'un souvenir..., nous savons, ou nous pres-
sentons que le fait de nous le remémorer ne
prouve rien en sa faveur. C'est que nous
connaissons, non seulement les défaillances
de notre mémoire, mais ses caprices, et ses
complaisances. Chez moi, tout se passe
comme si un serviteur invisible éconduisait
les souvenirs capables de m'attrister, et
même, simplement, de m'importuner —
quitte à changer soudain d'humeur et à laisser passer exprès, comme par esprit de sabo-
tage, les souvenirs les plus susceptibles de me

déplaire. Mais ces crises-là sont assez rares ; en général, le serviteur accomplit sa tâche consciencieusement. Je ne m'en aperçois que trop, pour peu qu'une circonstance extérieure me fasse prendre, tout à coup, la mesure de mon ingratitude.

Georges Brandès et l'ingratitude

J'entendais l'autre soir, à la radio, le nom de Georges Brandès. J'ai eu honte d'avoir si rarement pensé à lui, parlé de lui; pourtant, il désirait beaucoup qu'on ne l'oublie pas, et il avait été bon pour moi.

A la mort de ma mère, ma famille m'avait fait quitter l'appartement d'où on venait d'emporter son cercueil; j'étais allé loger à l'hôtel Lutetia, M. Brandès s'y trouvait aussi. Par amitié pour mon oncle, et sans doute par compassion pour moi, il m'avait invité à prendre, tous les matins, mon petit déjeuner dans sa chambre. J'y entrais, les yeux encore pleins de sommeil, mais lui, était bien réveillé ; sa verve, alimentée à d'innombrables sources, roulait déjà, fougueuse, torrentielle et assourdissante. Il connaissait toutes les littératures d'Europe, les soumettait à des comparaisons, des concordances, des lois, parfois, aux vicissitudes de son humeur. Jules Lemaître avait dit que, sur le boulevard, on le connaissait sous le nom de Marthe, la célèbre partenaire de Lucien Guitry. Il lui en voulait et en voulait un peu à la France elle-même. Il vitupérait la « clarté française ». « C'est facile d'être clair, quand on n'a rien à dire. Un trou, s'il est profond, n'est pas clair. »

Il raillait les méthodes, alors célèbres, de M. Lanson, dont je suivais les cours. « Allons ! voilà dix minutes que nous causons (c'était là une pure figure de rhétorique, je n'avais pas ouvert la bouche). Je ne sais plus bien ce que j'ai dit, ce que vous avez dit. Et M. Lanson prétend que, dans trois siècles, il le saura ! »

J'écoutais avec un respect effaré, cet homme qui avait été l'ami d'Ibsen, l'ami de Nietzsche, lequel lui écrivait : « Depuis que tu m'as découvert... » Il faisait, tous les ans, sa cure à Carlsbad, avec mon oncle, qui m'invitait toujours, les soirs où M. Brandès dînait chez lui, dans l'espoir que je tirerais quelque profit de sa prodigieuse culture. M. Brandès arrivait en retard, comme il sied aux vedettes. Court de taille, large d'épaules, le ventre saillant, il semblait éclater dans ses smokings trop petits ; on le remarquait d'autant plus qu'il portait un peu bizarrement, à ses chemises des jabots et des manchettes plissées à tout petits plis. Il était accompagné d'une dame suédoise, terne, un peu osseuse, pour mon goût ; il accusait Anatole France d'avoir voulu la lui souffler. Il s'était brouillé avec lui pour ce motif, il le répétait souvent. J'écarquillais les yeux, cherchant à comprendre cette rivalité de deux vieillards illustres pour une personne qui ne me semblait pas justifier cette double véhémence. J'ai douté même si M. Brandès n'avait pas été flatté qu'un grand écrivain lui enviât cette maîtresse. Car il était plein de science et de talent, mais également d'une vanité qui semblait transpirer de tout son corps ; de sorte qu'il faisait penser, à la fois, à Socrate et au baron de Gondremark de *La Vie Parisienne*.

J'ai su plus tard qu'il avait été le beau-frère de Gauguin, et que ni l'un ni l'autre ne s'étaient loués de ce parentage. Ils s'étaient disputés des Van Gogh et des Cézanne. Avec M. Brandès, on se disputait toujours quelque chose; mais souvent, le plus souvent, le choix de l'enjeu supposait une clairvoyance quasi géniale.

Certainement, j'aurais pu, et dû, tirer de son affabilité plus de parti que je n'ai fait ; j'aurais certainement dû lire son livre sur les *Grands Courants de la Littérature,* ne fût-ce que par reconnaissance. J'aurais pu et j'aurais dû prier mon oncle de me donner ses lettres qu'il brûla, pendant la guerre de 14, quand les amis français de M. Brandès se brouillèrent avec lui, imitant Clemenceau...

J'aurais dû cultiver davantage ce souvenir, je comprends d'ailleurs pourquoi je ne l'ai pas fait : il était lié à des circonstances tristes, aux pénibles débuts de ma vie d'orphelin. Le serviteur invisible l'a écarté ; il a toujours peur que j'aie de la peine, et non pas que je sois ingrat. J'ai fini par trouver cela naturel, comme on finit par trouver naturelle la préférence du présent au passé, de l'actualité la plus dérisoire aux anniversaires les plus graves. Nous ne sommes tous qu'ingratitude. Et pourtant, de ce désert de manquements émergent des oasis inattendues de fidélité, qui d'ailleurs nous trompent: car les quelques souvenirs privilégiés, que chacun de nous conserve, nous cachent la multitude des souvenirs qui ne le sont pas, et tombent dans la trappe de l'oubli.

MARGUERITE GRUMBACH
ET LES SOUVENIRS DÉCOMPOSÉS

Au premier rang de ces souvenirs privilégiés, je trouve celui de Marguerite Grumbach. Je me l'explique mal, d'ailleurs, ne l'ayant connue ni beaucoup, ni longtemps.

Je la rencontrais sur la pelouse, proche de la Muette, où j'allais quand il faisait beau, jouer avec mes cousines et une douzaine d'autres enfants.

Elle était sensiblement plus âgée que nous, elle avait, je pense, dix-sept ou dix-huit ans, quand ma cousine Suzanne en avait onze, moi neuf et ma cousine Lisette, cinq ; presque une grande personne, comme on voit.

Son intrusion pourtant ne nous déplaisait pas. Elle ne tirait jamais avantage d'une supériorité, qui aurait dû l'exclure de notre bande. Pas une remontrance, ni même un conseil, jamais aucune de ces allures condescendantes que leurs aînés prennent envers les enfants, qui les souffrent si mal. Quand elle jouait avec nous, c'était sur un pied d'égalité complète, elle prenait l'esprit du jeu.

Il est vrai qu'elle ne jouait guère. Elle restait presque toujours assise sur son pliant, enveloppée d'un gros manteau, et lisait. Mais son livre ne l'absorbait pas au point de ne pas nous répondre; dès qu'on lui parlait, elle s'empressait de lever la tête, et nous souriait. Son sourire découvrait des dents très petites et très blanches, qui faisaient penser à des fleurs de muguet.

De tous ces enfants, j'étais celui qui manquait le plus souvent nos réunions; je détenais le record des rhumes. J'étais donc celui sur qui pesait la surveillance la plus vétilleuse; dès que j'avais couru un peu vite, et que j'étais en nage, il fallait me sécher, me couvrir, me reposer. Je n'avais pas droit non

plus aux limonades rouges ou jaunes, si allé-
chantes dans leurs petits flacons fermés par
une bille de verre que la marchande enfon-
çait, d'un coup sec, dans leurs goulots d'où
jaillissait alors la belle mousse colorée.

Je dois sans doute à cette santé médiocre
l'amitié qui s'établit entre Marguerite Grumbach et moi. Je restais près d'elle, plus que
les autres enfants. Elle me plaignait un peu:
du moins je le suppose; car elle ne me l'a
jamais laissé voir. Elle m'accueillait avec une
tendresse gaie, comme si elle s'était ennuyée
de moi. Elle était toujours prête à me lancer
une balle, à me faire sauter à la corde, et, si
je devais rester tranquille, à jouer avec moi
aux charades, aux portraits.

Elle m'inspira un sentiment très vif. Je
suis sûr que je n'ai pas été amoureux d'elle,
comme, un peu plus tard, d'Yvonne Pannelier ; je ne pensais pas à l'embrasser, je ne
cherchais pas à la frôler ; j'étais plein d'une
reconnaissance et d'une admiration muettes
dont elle s'apercevait, je pense; elle y répondait par un redoublement de bonne grâce.

Mais, je n'étais pas certain qu'elle s'en
aperçût; j'aurais voulu les lui manifester; je

n'en trouvais pas le moyen; je comprenais que des effusions sans retenue auraient fait rire de moi, et même d'elle, si elle manquait à en rire la première; je ne pouvais pas lui acheter des bonbons ou des gaufres, elle avait beaucoup plus d'argent que nous, et d'ailleurs, n'en mangeait pas. Les enfants sont bien démunis !

Tout ce que je pus inventer, ce fut, les jours où elle ne venait pas à la pelouse, de rentrer chez moi par l'avenue Victor-Hugo, où elle logeait, et non pas par l'avenue Henri-Martin, mon chemin habituel. Encore ne me fût-il pas facile d'obtenir de ma gouvernante ce changement d'itinéraire, dont elle ne voyait pas et dont je ne voulais pas lui donner la raison.

L'eût-elle comprise ? Nos chances de rencontrer Marguerite Grumbach étaient à peu près nulles.

... De fait, je ne l'ai jamais rencontrée. Mais cela m'était égal. Je voulais lui rendre une espèce d'hommage, et celui-là me plaisait d'autant mieux qu'elle — ni personne — ne le connaîtrait.

La preuve que je n'étais pas amoureux

d'elle, c'est que je n'ai pas souffert quand je cessai de la voir. Il le fallut; mes parents quittèrent l'avenue d'Eylau pour l'avenue de l'Opéra, où mon père pouvait rentrer déjeuner. Cet appartement me parut plus gai et me plut mieux que l'autre. Je me promenais aux Tuileries, et non plus au Bois. Marguerite Grumbach, d'ailleurs, ne venait plus à la pelouse, comme je sus par mes cousines, qui elles, n'avaient pas déménagé. Je ne lui envoyai aucune carte postale. Je n'entendis plus parler d'elle.

J'aimerais retrouver l'image qu'à cette époque, je gardais de sa personne. Je ne la retrouve pas. J'ai pourtant la conviction qu'elle existe encore dans ma mémoire, recouverte seulement par les couches de peinture qui la cachent et que je ne réussis pas à gratter. Celle de Betty, je suis persuadé qu'elle est perdue, à jamais, celle-là, non. Sans doute parce que je ne sais ni quand ni comment, ni pourquoi l'image de Betty s'est effacée, au lieu que je sais quand et comment l'image de Marguerite Grumbach s'est brouillée.

J'appris soudain qu'elle était morte. On susurrait qu'elle avait été fiancée, que ses fiançailles avaient rompu; depuis lors, elle avait langui, et succombé enfin à sa langueur.

Qui était ce fiancé ? Qui, d'elle ou de lui était revenu sur sa parole ? On ne me l'a pas dit. Mais je n'ai pas douté qu'elle avait été déçue, non pas quittée : car elle eût, certainement, supporté d'être malheureuse, c'était le dégoût qu'elle n'avait pas supporté. J'admirai sa mort, plus que je ne la déplorai. Je ne perdais pas Marguerite Grumbach, puisqu'elle était déjà perdue pour moi; mais elle devenait une princesse de féerie, chez laquelle la vie du cœur avait commandé souverainement la vie du corps. Elle était morte, dès que le monde l'avait froissée — comme les animaux nobles, qui ne survivent pas à la perte de ce qu'ils préfèrent.

Sa mort la recouvrit, tout de suite, d'un voile éclatant et sombre, inséparable d'elle, ma mémoire et mon imagination ne pouvaient plus la revoir sans lui. Elle qui avait été associée, pour moi, aux plaisirs du jeu, à l'odeur de l'herbe, aux ifs du square Lamartine, aux devantures de l'avenue Victor-Hugo, à présent, elle signifiait la connivence mystérieuse, et évidente, de la pureté, de la rigueur et de la Mort, laquelle en effet ne laisse jamais bien longtemps sur terre Antigone, ni Juliette. J'ai été, tout de suite, et je reste persuadé que Marguerite Grumbach est morte simplement parce qu'elle appartenait à cette haute race.

Plus tard, sans doute, j'ai fini par comprendre que la tuberculose était bien pour quelque chose, dans sa fin. A cette époque on évitait de prononcer ce mot; le mal qu'il désigne passait pour héréditaire. Il constituait une tare pour toute la famille de la personne qu'il frappait; il rendait plus difficile l'établissement de ses frères, de ses sœurs et même de ses cousins. On n'était guère moins soucieux de le cacher que de le soigner. Mes parents n'avaient pas de relation avec ceux de Marguerite Grumbach, mais ils n'avaient contre eux aucun grief; chez nous aussi, la tuberculose avait sévi, elle devait bientôt sévir, une nouvelle fois...

Aussi la consigne de silence que chacun, dans ce cas, donnait par une supplication muette, fut-elle respectée par tout mon entourage. Je n'ai jamais entendu dire que Marguerite Grumbach était morte poitrinaire, quoique cela fût très probable et même patent.

Mais, quand je le compris, son mythe était trop solidement fixé dans ma mémoire pour qu'aucune idée nouvelle puisse mordre sur lui. Je pense d'ailleurs que, dans ce cas, comme chez bien d'autres plus célèbres, la légende, même fausse, exprime, à sa manière, une vérité. J'ai trop vu et de trop près la tuberculose pour n'avoir pas mesuré l'importance des dispositions affectives dans son évolution, et je n'ai pas été surpris, quand des psychiatres argentins m'ont affirmé l'avoir guérie maintes fois par la psychanalyse. Très souvent, les êtres qu'elle tue, sont précisément ceux qui ne désiraient pas vivre. Je persiste à trouver naturel qu'une fille aussi délicate que Marguerite Grumbach, dans ses rapports avec les enfants, n'ait pas pu surmonter les déboires que la vie ne pouvait pas lui épargner longtemps. C'est la tuberculose qui l'a emportée, mais probablement quelque chose, en elle, voulait partir.

Son souvenir ne m'a plus quitté. A toutes les époques de ma vie, je retrouve constamment ce fil soyeux, qui relève un tantinet la sordidité de sa trame. Peu de chose suffit à le faire reparaître. En Béarn, par exemple, je ne pouvais descendre vers la grande route et vers le Gave sans traverser un petit ruisseau, qui, l'été, échappait péniblement à la voracité d'une prairie; toujours, il me faisait penser à Marguerite Grumbach; de même un jasmin, au feuillage très léger, qui avait grimpé trop haut, le long d'un mur, et semblait sur le point d'en tomber.

Depuis quelque temps, c'est surtout dans les musées, les galeries que son souvenir se ravive; une Egyptienne de Moyen Empire, prosternée devant une tombe, un lotus à la main; il y a quelques jours, aux Arts Décoratifs, la jeune fille à la mandoline de Picasso; hier, une Vierge de Piero della Francesca, sur la reproduction de laquelle je suis tombé, dans un livre, m'ont évoqué, Marguerite Grumbach. Il y a quelques années, à Bruxelles, la jeune fille de Christus me l'avait rappelée, avec une telle vivacité,

une telle véhémence que j'en étais resté déconcerté. J'en reste encore surpris, ne voyant
pas en quoi elle lui ressemble. Marguerite
Grumbach n'avait certainement pas cette
boucle qui sort du bonnet, et décrit, sur le
front, en accroche-cœur, ce demi-cercle châ-
tain... D'ailleurs, la jeune fille de Christus est
presque brune, l'Egyptienne a les cheveux
noirs, la Vierge de Piero est blonde...

Au fait, de quelle teinte étaient donc les
cheveux de Marguerite Grumbach ? Que
c'est donc bizarre ! Ce souvenir, si solidement installé dans ma mémoire, on dirait
qu'il a perdu ses couleurs, et ses contours !
Je revois très bien la place où Marguerite
Grumbach posait son pliant sur la pelouse;
c'était juste à la lisière du sentier : les arbres
qui le bordaient ombrageaient souvent son
livre. Je revois d'ailleurs toute la pelouse :
un sapin solitaire se dressait, au milieu
de l'herbe, comme un arbre de Noël sur
le tapis d'un salon. Cette pelouse où les
bandes d'enfants semblaient s'ébrouer au
hasard, était en fait, divisée par des fron-
tières, qu'on ne pouvait violer sans déclen-
cher des bagarres. Je crois que je retrouverais

leur tracé. Notre domaine partait du sapin, montait jusqu'à la grande route de la Muette, et s'étendait à droite jusqu'au sentier près duquel Marguerite Grumbach s'asseyait. A gauche du sapin, le terrain appartenait à une autre bande; tout au bas de la pelouse, s'étendait une zone mal définie que personne n'avait annexée, et à laquelle personne n'avait renoncé; elle pouvait donc servir de point de départ pour un jeu, mais la politesse commandait de ne pas l'occuper trop longtemps. Ainsi, je saurais encore disposer les camps pour une partie de barres, et je ne sais plus si Marguerite Grumbach, qui m'importait davantage, avait les yeux noirs ou marron. Ni si elle était petite ou grande.

Qu'est-ce que me donne, au juste, ma mémoire ? L'éclat un peu amorti d'un sourire, et toute une cargaison d'adjectifs tels que : gracieux, fin, souple, avenant... Mais ils conviennent aussi bien à un bout de dentelle, à un verre de Venise, à un stalactite. Le cliché est si confus qu'on ne peut même pas dire si c'est un animal, un végétal ou un minéral qu'il reproduit.

En somme, je n'ai jamais perdu le souvenir de Marguerite Grumbach. Supposé que je la voie, je serais en droit de lui dire : avouez que, vous, je ne vous ai pas oubliée.

Mais supposé que, tout à l'heure, elle apparaisse dans le Palais-Royal, assise sur son même pliant et lisant comme autrefois — je ne suis pas certain du tout de la reconnaître, je crois que je ne la reconnaîtrais pas. Qu'est-ce donc que ce souvenir qui ne se rappelle plus la personne dont il se souvient ? Qu'est-ce que cette fidélité qui ne tient pas compte de l'être qui la suscite ? Et qu'est-ce que cet espace truqué, où je me fourvoie, de mirage en mirage ?

On dirait que mes souvenances, au lieu de fixer, de consolider, de conserver mon souvenir, l'ont usé. Comme si, petit à petit, elles avaient rongé la vraie Marguerite Grumbach, et n'avaient laissé d'elle que son nom. Ce nom, lui, admet toutes les ressemblances, même quand elles s'entre-excluent. Peu importe que la Vierge de Piero soit robuste et blonde, et la jeune fille de Christus chlorotique et plutôt brune; le nom de Marguerite Grumbach convient aussi bien à un teint ambré qu'à un teint rose. Et pourtant, elle-même, elle n'était pas une simple collection d'adjectifs interchangeables, mais une jeune fille un peu malade qui voulait aimer, être aimée, épouser le garçon qu'elle aimerait.

J'ai cru que la jeune fille de Christus me la « rappelait ». C'était inexact, assurément; moi-même, je ne pensais pas que Marguerite Grumbach ait eu ces paupières un peu gonflées, ni ces yeux, petits et très éloignés l'un de l'autre, ni ce menton pointu. La vérité, c'est que la jeune fille de Christus ne me la rappelait pas du tout; c'est moi plutôt qui l'ai appelée, un peu comme on appelle au secours, et j'ai eu l'impression d'une « ressemblance criante »; mais ce n'était pas la ressemblance qui criait, ni la jeune fille de Christus, ni Marguerite Grumbach, c'était moi.

Pourquoi donc ? Je n'étais pas en danger; je visitais le Musée de Bruxelles enrichi pour quelques jours par le Musée de Berlin. Je venais de Bruges, je devais y rentrer; j'étais fatigué, le temps était froid et brumeux; je me sentais un peu écrasé par la multitude des chefs-d'œuvre : Rubens près de Van

Eyck, et *l'Homme au Casque* de Rembrandt,
et Franz Hals près de Clouet... La jeune
fille de Christus me séduisit. Je n'en sais pas
la raison. J'admirais, tout autant, les enfants
de de Vos, les singes de Breughel, je trouvais
Hélène Fourment beaucoup plus jolie et
plus désirable qu'elle, et même les sages
demoiselles de Memling, aux fronts bombés
comme leurs seins. Elle me semblait ané-
mique et lasse, elle avait dû être triste dès
qu'elle cessait d'être hautaine. Mais sa tristesse me touchait, et sa réserve, et l'honnê-
teté attentive du peintre à qui, probablement,
elle ne plaisait guère, mais qui n'avait pas
révoqué en doute, pour autant, l'existence
de son âme immortelle.

L'idée que je ne reverrais sans doute
plus ce portrait, sauf en photographie, qu'il
allait rentrer à Berlin et moi à Bruges, me
fut soudain pénible, comme l'est toujours,
quand on en prend conscience, l'écoulement
torrentiel des formes. Je cherchais à fixer, du
moins, dans ma mémoire, la jeune fille de
Christus : en vain; pas un panneau dispo-
nible, pas un clou auquel l'accrocher. C'est
alors que Marguerite Grumbach surgit, ou

plutôt que je l'évoquai, comme si le cas relevait, précisément, de sa compétence. Et en effet, le tableau trouva immédiatement sa place. Je le revois, quand je veux, à droite de la porte, à gauche de la fenêtre, là où il était. Marguerite Grumbach me l'avait donné, avec la même générosité gracieuse et timide qu'elle mettait jadis à tenir le manche de la corde à sauter, ou bien à jouer aux devinettes.

Elle était devenue talisman.

Mais il n'est pas de talisman qui exauce sans contrepartie les vœux de son possesseur; il procure l'objet demandé, mais il faut payer le prix; pour me donner la jeune fille de Christus, Marguerite Grumbach devait effacer quelques traits de sa propre image, détériorée par les ressemblances abusives que je lui avais attribuées — jusqu'à ce qu'il n'en restât rien, qu'un vague sourire.

A chacune de ces « évocations », il m'avait semblé raviver, honorer d'une offrande le souvenir de Marguerite Grumbach; c'est le contraire qui était vrai. J'offrais quelque chose d'elle à l'objet ou à la personne qui m'intéressaient actuellement et j'intervertissais les termes du petit sacrifice dont j'étais à la fois l'auteur et le bénéficiaire.

J'aurais dû me rendre compte plus tôt de mon imposture, ne connaissant que trop l'activité ambiguë de ma mémoire. Mais je ne me méfiais pas du souvenir de Marguerite Grumbach. Sa douceur me leurrait. Il était consolant. commode, innocent, il ne contenait pas d'éléments charnels, tout au plus me donnait-il, en rêve, la grande sœur protectrice que je n'avais pas; il n'autorisait pas, de ma part, des attitudes avantageuses, il me permettait tout au plus de croire que mon infidélité habituelle n'était pas sans faille. J'ai donc été très lent à comprendre que ce souvenir soi-disant privilégié ne bénéficiait pas d'un traitement meilleur que les autres. Après même que je l'eus compris, je rôdai longtemps autour de mon propre mensonge. Il ne me semblait pas grave; j'avais tort assurément de penser à Marguerite Grumbach sans justesse, sans justice. Mais tout le monde le fait, pour les vivants comme pour les morts. Chacun de nous peut imposer à chaque personne qui passe le rôle qu'il veut dans ce théâtre intérieur où nous sommes seul auteur, seul spectateur, seul metteur en scène; la femme qui probablement me rabrouerait si j'avais l'audace de l'accoster, rien ne m'empêche de me la figurer dans mes bras, pâmée d'amour, et rien non plus ne l'empêche de me transformer, s'il lui plaît, en traître de mélodrame... Je pensais donc que mes scrupules envers Marguerite Grumbach, quoique justifiés, supposaient bien de la délicatesse, je les trouvais subtils.

Je fus désabusé récemment, et par hasard. J'avais été voir F..., ma filleule. Toujours, quand je la vois, sa minceur me surprend. Ce jour-là, elle était plus mince encore, et fragile que d'ordinaire; elle sortait en effet d'une clinique où on venait de l'opérer... Tant de fragilité me fit souvenir de Marguerite Grumbach; la même illusion d'optique qui m'abusait depuis tant d'années me fit croire que mon attendrissement allait à elle. Mais, cette fois, je la rectifiai tout de suite. J'aime bien ma filleule, je savais que j'étais plus soucieux de sa santé que de la maladie qui avait emporté Marguerite Grumbach cinquante ans plus tôt.

Rendu suspicieux, j'ai regardé ce souvenir de plus près. Je me suis aperçu, et non sans stupeur, que, dans les années qui ont suivi immédiatement la mort de Marguerite Grumbach, il ne me revenait pas en mémoire, comme il a fait depuis. Ces années pourtant sont celles où j'ai lu *l'Odyssée,* le *Télémaque,* les tragédies de Racine et de Gœthe. Iphigénie, Eucharis, Nausicaa, Antiope auraient dû me faire penser à elle; je ne me rappelle pas qu'elles l'aient fait. J'habitais l'avenue de l'Opéra, on me menait souvent au Louvre, je ne me rappelle pas que les portraits, les statues que je voyais alors, me l'aient évoquée. Elle ne devient obsédante que plus tard, après la mort de ma mère. Pendant les sept années qui séparent de la sienne, la mort de Marguerite Grumbach, les « ressemblances » ne surgissent pas. La plupart d'entre elles auraient dû, d'ailleurs, je finis par le comprendre, se rapporter à ma mère, et non pas à elle. La Vierge de Piero penchée sur son enfant, qu'a-t-elle à voir avec Marguerite Grumbach, qui n'a pas connu la maternité ? L'Egyptienne prosternée devant le sarcophage où repose son mari, qu'a-t-elle à voir avec Marguerite Grumbach qui n'a pas connu le mariage ? C'est donc là ce que cachait la « grande sœur » qu'à l'époque je ne regrettais nullement... J'ai substitué Marguerite Grumbach à ma mère, parce que son souvenir m'était moins pénible, sans doute, parce qu'il ne m'était pas pénible du tout.

Ce n'était donc pas pour l'avoir aimée, que je me souvenais d'elle si fréquemment, mais au contraire parce qu'elle m'était devenue indifférente et que la nouvelle de sa mort ne m'avait pas causé trop de chagrin. Ces souvenances lui eussent probablement déplu. Elle n'avait rien fait pour les susciter, elle eût été scandalisée, sans aucun doute, de mes indiscrètes pensées, sur sa maladie, et plus encore, sur ses peines de cœur. L'oubli, certes, convenait mieux à son goût de l'effacement.

Je sens que j'en ai pris trop à mon aise avec sa mémoire; il aurait mieux valu ne pas me souvenir d'elle du tout. La preuve, c'est que je pense à Betty sans rien qui ressemble à un remords, et qu'envers Marguerite Grumbach, j'ai mauvaise conscience, plus mauvaise qu'envers Mlle Juliette...

Toute évocation de morts a quelque chose d'inquiétant, de louche. Elle comporte des risques qu'il est difficile d'évaluer. Les limites qui, dans ce domaine confus, séparent l'impiété du sacrilège, et la religion de l'idolâtrie, sont floues, presque indiscernables. Les Eglises elles-mêmes ne savent pas trop ce qu'elles doivent interdire et ce qu'elles doivent prescrire. Le christianisme veut qu'on prie pour les âmes, mais l'Evangile dit de « laisser les morts enterrer les morts ». Israël punissait de mort la nécromancie, — nous savons que Saül fit observer cette loi avec rigueur — pourtant, il obligea lui-même la pythonisse à évoquer l'ombre de Samuel. Et rien ne nous autorise à l'en blâmer. A la veille de la bataille où il devait périr, il craignait moins pour sa personne que pour le peuple dont il avait la charge. Samuel d'ailleurs ne refusa pas de lui répondre, et il lui notifia les décrets divins, sans le tromper.

Il apparaît donc qu'il n'y a pas, en cette matière, de règle bien fixe. Peut-être ne saurait-il y en avoir. Les initiés de toutes les Eglises traditionnelles ont cru, semble-t-il, à une diversité de conditions chez les morts qui rend difficile de soumettre, envers eux, les vivants à des règles strictes. Tout change assurément selon qu'on suppose au mort plus ou moins d'intérêt envers les survivants. J'ai moi-même le sentiment que certains morts seraient contents que je pense à eux, et d'autres mécontents que je trouble leur paix : cela dépend des attitudes que je leur ai vu prendre, pendant leur vie et aussi des changemens survenus dans le monde, depuis qu'ils l'ont quitté. Je vois souvent Maurice Goudeket, il me parle toujours de Colette, je suis toujours heureux de parler d'elle avec lui : or je ne crois pas que nous nous soyons jamais demandé ce que Colette dirait de tel ou tel événement survenu depuis sa mort... Ce silo était rempli de grains jusqu'au bord, on n'y peut rien ajouter. La piété de son mari, et de Pauline, empêchent qu'aucun meuble soit changé de place chez elle. Mais tout ce qu'ils lui conservent, elle y avait renoncé; les boules de cristal sont toujours sur la cheminée; mais leur disparition ne ferait craquer aucune table. L'ombre de Colette n'habite pas cette pièce où tout parle d'elle. Devant les fauteuils dont elle a fait elle-même les tapisseries, tout vous rappelle au respect et au souvenir, mais rien ne suscite l'angoisse. Parce que Colette avait dépassé la région où on s'inquiète, où on suppute, où on espère et où on craint.

Mais tous les morts n'opposent pas aux interrogations des vivants cette solidité. Quand, avant de mourir, ils n'étaient pas détachés du monde qu'ils allaient quitter, ils nous donnent l'impression — peut-être illusoire, mais peut-être justifiée — que nous gardons sur eux quelque prise, les pensées que nous leur décochons, il nous semble, à tort ou à droit, qu'au lieu de retomber, inefficaces, elles les transpercent.

C'est pourquoi, d'ailleurs, il nous semble aussi que l'oubli leur est sans doute nécessaire, et que, les évoquer, risque d'être sacrilège. La nécromancie abuse de la faiblesse des morts. On en use avec eux plus librement qu'on n'osait faire quand ils vivaient; les survivants s'arrogent sur les écrits des auteurs morts des droits que, assurément, ceux-ci ne leur eussent pas reconnus. J'ai toujours été surpris, de même, qu'on ait le front d'interpeller, par le truchement d'une table tournante ou d'une planchette, des personnes que, de leur vivant, on n'eût pas sonnées au téléphone, et qui d'ailleurs ne vous auraient pas répondu. Si on croit que les morts survivent, comment croire qu'ils ne font rien, qu'ils n'ont rien à faire, qu'on ne les dérange jamais ? S'ils nous entendent, est-on sûr que notre bourdonnement ne leur soit jamais pénible ? Peut-être, à certains moments, certains d'entre eux ont-ils pourtant besoin qu'on se souvienne d'eux, et cherchent-ils à établir avec nous des communications, toujours coupées par notre égoïsme, et notre frivolité. Mais, de ce qu'une personne souhaite aujourd'hui ma visite, il ne suit pas que je ne l'aurais pas importunée hier, et ne l'importunerai pas demain. Il est difficile d'admettre la survie sans admettre ces vicissitudes : comment continuer à vivre et cesser de changer ? Jésus-Christ, lui-même, après sa résurrection, dit d'abord: ne me touchez pas, et, quelques jours après,

il invite Thomas à toucher ses plaies... Tout
ici est obscur : dans notre pensée parce que
la condition des morts nous est inconnue, et
dans nos cœurs parce qu'ils sont tiraillés par
des contradictoires postulations.

Je sens bien que j'ai peur de l'oubli qui
déjà me recouvre, et me submergera, dès
demain, si je meurs. Cette chambre d'hôpital où je suis, je pense à tous ceux qui l'ont
occupée avant moi : où sont-ils ? Les infirmières elles-mêmes l'ignorent : la plupart
d'entre elles sont très jeunes, elles ne sont
pas ici depuis bien longtemps, elles n'y res-
teront guère, et d'ailleurs ces malades qu'elles
soignent avec tant de zèle, elles n'ont plus
aucun lien avec eux, une fois qu'ils sont
sortis de leur service. Ils passent, elles passent, l'hôpital seul demeure, avec son allure
démente de navire immobile. Je voudrais,
bien sûr, ne point passer tellement vite, je
voudrais que mes infirmières se souviennent
de moi.

Mais, tendu vers la mort, je sens aussi le
besoin qu'on me laisse seul avec elle. Qu'on
ne s'occupe plus de moi. Qu'exempté de

sourires et de politesses, je n'aie enfin plus le souci des malentendus créés entre les autres et moi par les erreurs que nous faisons, eux sur moi, et moi sur eux. Tant qu'on n'est pas oublié, on n'est pas libéré.

Une piqûre, assurément, suffira pour m'anesthésier. Je suis convaincu que je ne sentirai rien, n'entendrai rien; on me portera endormi à la salle d'opération, on m'en ramènera endormi, et même si je mourais, ce serait probablement sans que je me sois réveillé.

Pourtant, je n'aimerais pas que, autour de moi, s'affairent, fût-ce à mon insu, des personnes trop agitées. Je désire une bienveillance attentive, mais calme. Imaginer des cris m'est désagréable, même à supposer que je ne les perçoive pas. Et qui peut en répondre ?

La condition des morts ne ressemble-t-elle pas à celle des anesthésiés ? A celle des agonisants ? Peut-être ont-ils à passer de la survie au néant, comme nous de la vie au trépas ? Peut-être désirent-ils eux aussi, n'être pas troublés dans cette métamorphose néces-

saire, et en certains cas, peut-être difficile ?
Savons-nous s'ils ne ressentent jamais nos
souvenances comme des incantations malé-
fiques, qui les retardent, les entravent ? Ah !
je souhaite n'avoir jamais nui de la sorte
à aucun d'eux !

III

LES REVENANTS

J'ai failli mourir, mais je ne suis pas mort. Après mon opération, des piqûres intra-veineuses ont maintenu, de justesse, ma tension fléchissante, puis l'érythromycine est venue à bout de mon infection et de ma fièvre.

Je sais que j'ai été en danger, je sais aussi que je ne le suis plus : la voix du médecin a repris son naturel, ma femme me montre moins de tendresse, la garde de nuit dort plus profondément, d'un sommeil plus tranquille. Ce matin on m'a même levé de mon lit : il est vrai que je suis tombé, pris tout de suite de vertige, dans les bras d'une des infirmières qui me soutenaient : mais j'ai eu le temps de choisir la plus jolie, et avant de perdre connaissance, j'ai respiré, avec plaisir, l'odeur de sa jeunesse.

Comme j'ai failli mourir, je pense à ceux
qui sont vraiment morts. Il y a sans doute
des choses que je devrais faire pour eux; car,
si j'étais mort, quelques personnes auraient
été bien tenues envers moi à telle ou telle
obligation. Plusieurs y auraient manqué ;
mais elles n'auraient pas eu raison. Ni moi
dans la mesure où je suis coupable de manquements analogues aux leurs.

Mais, par ailleurs — je désirais assez vive-
ment qu'on ne s'occupe plus de moi. Le
chagrin de ma femme me touchait, me sur-
prenait, mais il me pesait. J'aurais voulu que
ma mort qui, à ce moment, me semblait
probable, et pas déplaisante, ne la bou_leve_r-
sât pas ; et que chacun après moi fît ses af-
faires, sans se référer à ma mémoire, sans
engager ma personnalité, sans discuter mes
livres, ma vie. Je ne peux m'empêcher de
supposer aux morts un désir identique, cette
même irritation calme, envers les survivants.

Comment pourrait-on savoir ce qu'on de-
vrait faire, quand on n'arrive pas à savoir ce
qu'on voudrait qui nous soit fait ? Suis-je
content, suis-je mécontent d'avoir guéri ?

112

Une fois de plus j'ai senti la séduction de la mort. Il est vrai aussi qu'elle fait horreur ; j'ai aidé, avec les faibles moyens qui me restaient, ceux qui me disputaient à elle ; je leur étais reconnaissant de me défendre... Il est probable que tout ici doit varier suivant les cas, les personnes, et sans doute les moments. La mort par exténuation m'a paru plus agréable que, huit jours plus tard, la mort par infection. Je change sans cesse, les morts aussi. Je vois bien qu'ils changent dans ma mémoire où leurs souvenirs se transforment comme se fussent transformé leurs personnes, si elles avaient continué à vivre. Bien rares ceux que je peux imaginer constants, constamment désireux que je me souvienne d'eux ou, au contraire, que je les oublie. Ils m'appellent à la fois et me rabrouent. Leurs tombes, tantôt m'attirent, et tantôt me repoussent.

Je crois bien que, de tous, le plus capricieux, le plus quinteux, c'est sans aucun doute Drieu La Rochelle.

DRIEU LA ROCHELLE

Voilà dix ans, déjà, qu'il s'est tué. Mais, bien avant sa mort, notre amitié était morte. Du moins, je le pensais. Depuis des années, nous avions cessé de nous voir, plus exactement, il avait cessé de me voir. J'en avais été chagriné, non pas étonné. Il disait toujours qu'il ne supportait personne longtemps. Il a déclaré à Gide « n'avoir jamais poussé plus de six mois une amitié ni un amour ». C'était faux, d'ailleurs, mais il arrivait à le faire croire, même à ceux qui, comme moi, savaient que c'était faux.

Aussi bien, notre rupture se fit par accident, non par épuisement. Lorsqu'il publia *Rêveuse Bourgeoisie,* je crus pouvoir critiquer son titre : « Une jeune fille qui se vend, disais-je, un jeune homme, son frère, qui cherche à se vendre et, faute d'y réussir, s'engage dans la Légion, un père qui fait des chèques sans provision, voilà pour Drieu le prototype d'une famille bourgeoise. »

C'était sans doute facile, et simplet. Ce

114

n'était pas très méchant ; nous nous étions souvent dit des vérités plus dures. Quand, à quelques jours de là, il se planta devant moi, raide comme au garde-à-vous, blanc de rage, les yeux pleins de haine, et qu'il me dit : « C'est fini ! J'en ai assez. Je ne te pardonnerai jamais. » Je pensai : « Il est fou. C'est une crise. Elle passera. » Il fallut constater qu'elle ne passait pas. Je crus alors que je lui avais maladroitement fourni un prétexte qu'il attendait, pour une brouille déjà résolue.

Je l'ai cru longtemps : et il reste vrai qu'à l'époque, Drieu se séparait de tous, que tout, de plus en plus nous séparait.

Mais, il y a quelques mois, j'ai appris que, vers 1912, son père avait eu une mésaventure d'argent pénible dont Drieu souffrit. De toute évidence, il s'était figuré que je le savais et il avait vu, dans ma phrase, une allusion, impardonnable en effet. Consterné, je me souvins alors du Drieu que j'avais aperçu, juste avant la guerre, chez un ami commun, timide, dans un veston étriqué, élimé, mais tenu avec beaucoup de soin, petit bourgeois contracté par le souci des convenances, et bien rêveur, c'est vrai, avec son nationalisme, son anglophilie, son goût embarrassé des idées générales; certes il ne laissait nullement prévoir ses désinvoltures prochaines — non plus que ses cheveux frisés ne laissaient prévoir sa calvitie imminente.

J'avais eu grand tort d'oublier ce Drieu originel et de me laisser prendre à la mince dorure dont, fallacieusement, le recouvrait son orgueil. Mais après la guerre, l'élégance de sa mise, ses succès féminins d'une infaillibilité irritante, son talent d'écriture, et, même, ses blessures, tout cela m'éblouit. Je n'osais pas espérer son amitié. Il me la donna, pourtant. Mais, comme je ne croyais pas la mériter et que, chez lui, elle semblait toujours répondre à un jugement, bientôt rectifié, de l'esprit, plutôt qu'à un besoin du cœur, je m'attendis tout de suite à la perdre. Riche, depuis son mariage, notoire depuis *Interrogations,* sollicité de toutes parts, « couvert de femmes », s'ébrouant dans la littérature, dans le monde, dans la politique avec l'aisance d'un dandy balzacien, quel besoin avait-il de moi ? Aucun, pensais-je. Les autres le pensaient aussi; déjà, non sans innocence, nous épaississions tous, autour de lui, la solitude à laquelle il finit par succomber.

Un moment, toutefois, trahi par une Américaine qui lui avait donné plus que de l'amour, un peu d'espoir, je l'avais revu déconfit, pitoyable, défiant de lui-même au point d'incriminer ses souliers, d'exiger de moi que je porte un chapeau, de regarder suspicieusement mes cravates, toujours de travers, comme si leurs défauts risquaient de s'étendre aux siennes par contagion.

Mais cette mélancolie qui nous rapprocha, dura peu. Bientôt, il m'expliqua que, s'il avait réellement voulu retenir l'Américaine, elle ne l'eût pas quitté, et je pensai de nouveau : il n'a pas besoin de moi.

En effet, il n'en avait pas besoin. La dernière fois que je l'aperçus, en juillet 1940, lui remontant vers Paris, moi descendant vers Cannes, il était ébloui, lui-même, par son « esprit prophétique » : tous ses cauchemars de décadence étaient réalisés. Il annonçait donc : les nazis auront conquis l'Angleterre avant l'automne, la Russie au printemps 1941, l'Amérique en 1942. Il m'exaspérait, mes pauvres objections ne l'ébranlaient même pas. Visiblement, il ne condescendait à les entendre qu'à raison de la politesse qu'on doit aux vaincus.

Pendant l'occupation, je ne lui écrivis pas un mot. J'en avais gros sur le cœur, pourtant. Depuis Hitler, tout antisémitisme m'est intolérable. Mais celui de Drieu était particulièrement inadmissible. Le meilleur ami de sa jeunesse, tué en 1914, avait été un Juif. Selon Drieu lui-même, rien ne le distinguait des autres Français, sauf peut-être un léger excès de patriotisme. La sœur de ce camarade que sa mort avait rendue comme orpheline, Drieu l'avait épousée. Son mariage avait rompu, il est vrai; mais ses liens avec son ex-femme étaient restés bien solides: traqué par la Résistance, c'est chez elle qu'il se cacha; c'est elle qui, à la fin, le logea dans le lugubre rez-de-chaussée où il mourut. Il fréquentait beaucoup de Juifs, dont moi-même; mais pendant quinze années d'une amitié orageuse, bien des questions se posèrent entre nous, la question juive, non. Il écrivait encore en 1933, dans *la Comédie de Charleroi* : « Jacob était juif. Qu'est-ce qu'un Juif ? Personne n'en sait rien. Enfin ! On en parle. » L'antisémitisme l'avait pris, vers 1934, comme un diabète. C'était bien le moment ! A Cannes, je voyais avec une rage hébétée ses pamphlets racistes, dans l'*Emancipation Nationale*. Quel plaisir j'aurais eu à me brouiller avec lui ! Mais c'était déjà fait.

Ma confiance en lui restait malgré tout intacte, mais mon ressentiment m'empêchait de m'en rendre compte. Je lui envoyai sans la moindre hésitation un ami commun qui se trouvait dans l'embarras, quoiqu'il fût plus opposé que moi-même à ce que Drieu appelait ses « idées »; il recourut à lui en effet, il s'en félicita d'ailleurs, mais il m'avoua ensuite s'être un peu étonné que je lui aie donné ce conseil. Alors seulement je m'aperçus qu'en effet, cela pouvait surprendre; je n'y avais pas pensé, n'ayant pas douté une seconde que Drieu lui rendrait tout de suite tous les services qu'il pourrait, et n'envisagerait même pas de ne pas le faire.

A la Libération, je lui préparai quelques caches, en Corrèze. Mais je ne sus où le joindre : je le cherchai d'ailleurs mollement. J'étais convaincu que d'autres, bien mieux qualifiés, s'occupaient de lui. Je continuais à me dire : « Quel besoin a-t-il de moi ? » Même à présent, où je comprends le caractère délirant de ma sottise, je n'imagine pas Drieu réagissant à ma magnanimité, autrement que par la colère ou le simple dédain.

J'étais de nouveau en Corrèze quand j'appris sa mort. Elle me consterna, elle m'irrita aussi. Quoi ! Il s'était trompé, en dépit de son esprit prophétique. Et, plutôt que d'en convenir, il disparaissait. Il se dérobait par le suicide, comme, tant de fois, au milieu d'une discussion, il s'était volatilisé, dans les rues ! La vie clandestine qu'il trouvait tout à fait acceptable, quand c'était moi qui la menais, lui-même, il avait renâclé devant elle. Et de quel droit nous lançait-il ainsi à la tête son propre cadavre ? Allait-il une fois de plus tout embrouiller ? Etait-ce moi qui avais mérité ses injures ? Je pensais que c'était plutôt lui qui avait mérité les miennes.

Mais le temps avait passé où, même vivant, j'aurais pu lui dire : « Tu as eu tort. » On l'accablait de reproches grotesques. De tous ses amours, celui de la France avait été, certainement, le plus profond, le seul constant,

et le plus douloureux. Et voilà qu'on discu-
tait son civisme ! Il avait toujours manifesté
un grand dédain des honneurs, des décora-
tions, de l'argent; au point de le dissimuler,
par dandysme (« J'aime l'argent, je suis cu-
pide, je suis avare... ») et, souvent, d'en être
lui-même inconscient (il a écrit : je meurs
riche; or il laissait quarante mille francs !)
Et voilà que son désintéressement même était
contesté, qu'on l'accusait d'avoir espéré de
l'occupation des places, des sommes ! Il avait
toujours eu horreur des drogues, comme de
toutes les servitudes et de tous les relâche-
ments physiques. Il disait que l'opium est
« le vice des concierges »; il se méfiait de
l'alcool. « Le feu follet » exprime son angoisse et son horreur devant la mort d'un
de ses amis, tué par l'héroïne. Et voilà que
des auteurs graves, Sartre même, expliquaient
son caractère par la toxicomanie ! Je le défen-
dis, dès 1946, dans un livre intitulé *Prise de
sang,* que d'ailleurs personne ne lut. Défense
parfaitement inefficace. Je ne me rappelle
pas sans honte ma bonne conscience, phari-
sienne, envers lui. Si j'avais tenu un journal
intime, il est probable que j'y aurais noté —

à la manière de Charles du Bos, selon Gide,
« j'ai été parfait avec Drieu ! »

C'est ainsi que je mitonnais, soigneusement, mes rancunes, sous le couvert de la
fidélité. Je la voulais indiscutable, accablante,
comme si je devais revoir Drieu, et l'écraser.
Je composais avec astuce, mon dossier, pour
notre procès.

Un beau jour, je compris que, de sa mort,
nous n'étions, je n'étais pas innocent. Pourquoi ne l'avais-je pas compris jusque-là ?
Pourquoi mon incompréhension a-t-elle soudain cessé ? Je n'en sais rien. Sans doute la
solitude qu'il avait prolongée en suicide, il
l'avait tissée lui-même délibérément, fil à fil.
Mais qui donc avait cherché à la rompre ?
Dans les derniers mois de sa vie, il ne voyait
plus que des femmes, ses ex-femmes, lui à
qui la camaraderie des hommes était tellement nécessaire, lui qui avait si bien supporté le régiment et si mal le mariage. Deux
fois, il avait essayé de se tuer et s'était manqué. Chacun de ses suicides devenait un
appel. Qui avait répondu ? J'avais bien demandé de droite et de gauche : « Où est-

il ? » Mais j'avais omis de le demander à sa première femme qui, certainement, me l'aurait dit. Je m'étais persuadé qu'elle n'était pas à Paris. Je me demande pourquoi.

Après son second suicide, et avant le troisième, d'aucun l'ont traité, publiquement, de simulateur. Qui leur a demandé compte de cette provocation ? Serait-il mort si tout le monde ne s'était pas résigné à ce qu'il meure?

Son souvenir devint alors lancinant. Je ne cherchais pas à l'oublier, mais il me semble que, si je l'avais voulu, je ne l'aurais pas pu; le hasard des rencontres, celui des conversations, tout, sans cesse, me le remettait de force en mémoire. Je finis par m'apercevoir que ce Drieu qui s'était donné tellement tort qu'on n'avait jamais eu à se gêner pour le faire, chacun de ses comptes, quand on y regardait de près, se trouvait créditeur.

J'en fus très étonné. Il avait toujours dit, écrit, répété qu'il s'était très mal conduit avec sa femme, il en avait « remis » au point de susciter le blâme de Gide lui-même, l'immoraliste. Pour nous tous d'ailleurs, sa culpabi-

lité était une vérité acquise, comme ces mots
célèbres que chacun sait par cœur sans se
soucier s'ils sont authentiques. Or j'appris
que, dix ans après son divorce, sa femme
avait été très malade, (elle s'était fracturé la
colonne vertébrale), et qu'il l'avait soignée,
qu'il n'était pas resté un jour sans la voir,
l'appeler au téléphone, lui, tellement inexact
et fugace, qu'il l'avait même réconfortée, lui,
d'habitude si peu réconfortant. Pendant l'occupation, elle avait été mise à Drancy, il l'en
avait tirée à une époque où cette sorte de
sauvetages était difficile, même pour les
« collaborateurs » patentés. Sans doute, elle
l'avait, à son tour, recueilli et caché; mais il
avait empêché qu'elle soit tuée, et elle n'avait
pas pu empêcher qu'il se tue.

Drieu admettait, tout le premier, qu'à côté
de lui, Paulhan est la vertu même : vie modeste, ménage uni, travail régulier, aucune
ambition, ni boulevardière, ni politique. Il
regardait Paulhan avec humilité. Toutefois,
il l'a sauvé d'une mort à peu près certaine,
(Paulhan fut arrêté par la Gestapo avec une
dizaine d'autres résistants dont aucun ne
réchappa). Mais il n'a pas pu s'interposer

entre Drieu et le déclenchement des poursuites qui provoquèrent son dernier suicide.

Maintenant qu'il n'était plus là pour me la
cacher, je découvrais l'étendue de sa générosité. La réussite de ses camarades faisait
briller de joie ses yeux, généralement ternes.
Je réentendais ses cris de Sioux quand il lut
les Conquérants de Malraux : « Ah ! le petit
copain ! Ah ! le petit copain ! », faisait-il en
se frottant les mains, je crois même qu'il s'est
tapé les cuisses, ce qui n'allait guère avec son
personnage. J'avais trouvé cela tout simple.
Et, comme, probablement, il m'a répété, une
fois de plus, le même jour, qu'il était incapable d'amitié, qu'il ne pouvait s'astreindre
à aucune fidélité, je suis sans doute sorti de
chez lui en pensant : « Quel dommage qu'il
ne soit pas meilleur camarade ! »

La publication du *Libertinage* d'Aragon
a été, je crois, un des grands bonheurs de sa
jeunesse. Même près de sa mort, il ne pouvait pas s'empêcher d'évoquer ce souvenir
lumineux. Dans ses notes de mars 1945, quelques jours donc avant sa fin, il écrit encore
au sujet d'Aragon une phrase qui se termine
par : « Lui qui avait tant de talent...» Quand

des amis cessent de l'être, les tiers, je le sais bien, ne peuvent guère départager leurs torts respectifs; les prétextes invoqués dans les ruptures sont rarement les vraies causes qui les ont produites. Je me garderais donc, en ce domaine, de juger personne. Mais j'ai vu d'assez près l'amitié d'Aragon et de Drieu, j'en ai même pris ma part, un moment. Je pense qu'à cette amitié, c'est Drieu qui tenait le plus. Il n'a pas été le plus irréprochable, certes. Mais il a été, je crois, le plus généreux.

Il le fut, en tout cas, sans conteste possible, dans ses rapports avec moi.

Comme pour me faire prendre la mesure de mon ingratitude, Pierre Andreu m'apporta un article de Drieu sur *Le bourgeois et l'Amour*. Andreu pensait avec raison que si je ne possédais plus cet article, il ne pensait pas que j'en avais complètement oublié l'existence. C'était pourtant le fait. D'autant plus inexcusable que Drieu, touché par ma hargne contre moi-même, laquelle suintait de ce livre, me disait : « Mon semblable, mon frère. »

Ainsi donc j'avais toujours admiré Drieu, il avait, lui, fait toujours les réserves les plus expresses sur ma personne, sur mes écrits. Mais quand avais-je écrit sur lui une phrase aussi cordiale que lui sur moi ? D'où vient qu'il prenait toujours ces airs de débiteur qui ne veut pas payer sa dette, alors qu'il était presque toujours créancier ?

Depuis sa mort, il devenait une manière de maudit. Lui qui avait été tellement gagné au surréalisme, tellement épris de Rimbaud (sur sa table, boulevard de Courcelles, il y avait une photographie de Rimbaud, une de Baudelaire, aucune d'aucune femme), il n'avait, pourtant, jamais consenti à être maudit, non plus qu'inactuel ou hermétique. Il s'était perdu pour ne pas perdre le contact des autres hommes, « pour marcher dans la même boue », disait-il. Et voilà qu'il était seul, réprouvé plus que tout autre; dans aucune librairie, je ne voyais plus aucun de ses livres. Beaucoup évitaient de parler de lui, ne vous répondaient pas quand on leur en parlait. Son nom avait pris une sonorité incongrue. Néanmoins, Drieu ne cessait de grandir. Ses suicides recouvraient sa mé-

moire de la même dorure héroïque dont
l'avaient jadis revêtu ses blessures. Les fausses
amitiés, les fausses amours, les idées fausses
qui, pendant sa vie, avaient recouvert sa na-
ture originelle, s'évaporaient peu à peu. Il
redevenait authentique et modeste, comme il
était avant que ses amours, ses succès et ses
échecs le corrompent. A son anniversaire, au
pied de sa tombe, je trouvait un petit bac de
fonte hideux et d'ailleurs défleuri; bien sûr, il
l'aurait détesté, mais il l'aurait regardé, sans
doute, avec l'attendrissement bougon que
lui donnait toujours le souvenir de son enfance, de sa famille. Car s'il n'avait pas voulu
rester « un petit bourgeois », il était resté
fier de l'être; il le redevenait à présent.
Comme la mort le décantait !

Il me manquait de plus en plus. Je travaillais à Sylvia, j'étais persuadé que lui seul
aurait compris ce qu'était pour moi l'enjeu
de ce livre; je ne désirais pas qu'il fût
« bon », mais je désirais beaucoup qu'il soit
vrai. Il me semblait que Drieu l'aurait refait,
pour son propre compte, en silence; qu'il
aurait ensuite regardé mon dactylogramme

et que, de temps en temps, les yeux bien vagues, la bouche bien boudeuse, il m'aurait dit : ... Que m'aurait-il dit ?

J'appris que, dans ses dernières années, alors que je le croyais obsédé par la politique, il avait été au contraire de plus en plus absorbé par des préoccupations métaphysiques, et lisait surtout les philosophes orientaux. Mes regrets en furent exaspérés. Jamais je n'avais parlé sérieusement avec lui de ce qui sans doute nous intéressait le plus l'un et l'autre. Que de silence ! Comme je l'avais mal connu, même au temps où je le voyais tous les jours ! La maladie dont il craignait, plus que de raison, les suites, je n'avais jamais su qu'il en fût atteint. J'ai dû en parler devant lui, réveiller son angoisse, et m'étonner qu'il devienne brusquement morose, muet, désagréable... Pour me désabuser, pour m'apprendre tout ce qu'il m'aurait fallu connaître, afin de ne pas rester, envers lui, incompréhensif, inefficace, déprimant, sa mort avait été nécessaire. Même s'il avait vécu, même si nous ne nous étions pas brouillés, nous aurions continué nos lamentables par-

129

ties de cache-cache, nos stupides dialogues de sourds.

Hélas ! le peu que cette vie nous donne, faut-il donc, quand elle nous l'ôte, constater que nous ne l'avions pas eu ! Il était mort, et pourtant la solitude continuait à hausser autour de lui et de moi ses murs sans faille. Chacun enfermé dans sa citadelle vide; on eût dit que, à notre insu, nous nous préparions tous deux aux échanges dont sa mort me frustrait, dont la vie, déjà, nous avait frustrés.

Son absence m'obsédait plus que n'avaient jamais pu m'obséder sa personne toujours ombrageuse, sa présence toujours précaire. Jamais je n'avais été bien assuré qu'il fût réellement avec moi; pour une pensée qu'il me communiquait, il m'en cachait cent autres, et je m'en rendais compte. Combien au contraire se révélait solide ma certitude qu'il n'était pas avec moi, qu'il n'y serait jamais plus ! Notre amitié même semblait de plus en plus dérisoire à mesure que je discernais mieux les destins qu'elle avait manqués, tout ce qu'elle aurait dû produire et n'avait pas produit.

Je remâchais mon amertume, quand je reçus *Récit secret*. Je doute si le spectre de Drieu m'eût causé plus de saisissement que cette voix d'outre-tombe épanouie enfin dans toute sa pureté.

Je ne m'attendais pas à une telle maîtrise. Je croyais Drieu affaibli, on m'avait même expliqué son suicide par cet affaiblissement. Or aucun de ses écrits n'avait manifesté tant de puissance. Aucun ne lui ressemblait davantage. Son orgueil suspicieux, son héroïsme languide, son mépris concupiscent des êtres, à l'attrait desquels il ne savait pas résister, mais dont la sympathie, la tendresse, l'indifférence et l'hostilité lui devenaient presque aussitôt également irrespirables, sa constante nostalgie des existences communautaires, que lui interdisait son irritation incoercible devant les mensonges des autres et les siens, son amour désespéré de la solitude, de tout ce qui mène à elle, fût-ce l'injustice, de tout ce qu'elle produit, fût-ce la hargne, et, devant elle, sa faiblesse grelottante, tout se retrouvait, mis enfin à sa juste place, dans ces quelques pages qui me le montraient tel que je l'avais connu, et tel que je ne l'avais pas connu.

Le plus accablant, c'est que les aspects de sa personne dont je me sentais le plus proche, étaient précisément ceux qui m'avaient échappé. Sa tendresse pour son frère, par exemple, me touchait d'autant plus que j'avais perdu un frère cadet, lui aussi, du même âge que le sien et qui portait le même prénom; Drieu n'avait jamais laissé paraître devant moi cette affection; d'ailleurs, je ne lui avais pas dit que j'avais eu un frère. Son *Récit* finissait sur une promenade aux Tuileries où il attendait que sa gouvernante eût achevé son ménage pour rentrer chez lui, s'y trouver seul et s'y tuer, tranquille. *Sylvia* aussi finissait aux Tuileries. La concordance me frappa d'autant plus que je n'avais pas su qu'il aimât particulièrement ce jardin. J'étais persuadé qu'il préférait le Bois; il avait habité Neuilly, été élève à Sainte-Croix, souvent il m'avait fait faire, avec lui, le tour du lac; il m'y avait emmené, une dernière fois, le dernier jour de notre amitié mourante. A l'époque où nous nous voyions le plus, il déjeunait fréquemment rue

Royale, c'est là qu'il m'invitait quand il ne venait pas chez moi. Je ne me souviens pas qu'il m'ait dit au sortir du restaurant : allons aux Tuileries. Nous remontions tantôt le faubourg Saint-Honoré, tantôt le boulevard Malesherbes, tantôt les Champs-Elysées, plus rarement, nous prenions les boulevards ou les quais qui nous éloignaient, lui de sa maison et moi de la mienne, nous contournions les Tuileries sans franchir leurs grilles. Avons-nous toujours fait ainsi ? gardé chacun pour soi des amours qui nous étaient communes ?

Je ne lui ai pas montré, avenue de l'Opéra, la fenêtre d'où je voyais, au bout de la rue de l'Echelle, le mur du Louvre et ses niches, guérites noires pour généraux usagés; non plus que, près de l'arç du Carrousel, les plates-bandes, les arbustes, les taillis, les statues, devant lesquels je lisais *Gil Blas*. Près de lui, j'étais plus enclin à m'abstraire de mon passé qu'à l'y introduire. Je le regrette bien aujourd'hui. Tout ce que je lui taisais, crainte de l'ennuyer ou crainte qu'il me rabroue, l'eût moins lassé, probablement, que les interminables discussions auxquelles je l'astreignais. A présent, quand je me promène dans le jardin, je peux encore retrouver, près de la place Jeanne-d'Arc, ou près de l'Orangerie, mes fantômes personnels, mais, dans l'allée centrale, c'est toujours lui que je vois, fumant ses dernières cigarettes, jouissant de la perspective dont « comme bien on pense, il ne se lassait jamais » et croisant un jeune homme de la Résistance, lequel se roidissait pour bien lui faire sentir qu'il était « un ennemi ».

On dirait qu'il continue d'y rôder, plus encore qu'aux autres endroits où, d'habitude, il me guette : les alentours de la N.R.F., la rotonde du Parc Monceau, et l'« Omnibus » de Maxim's. On dirait qu'il attend. Mais qu'est-ce qu'il peut attendre ? Veut-il simplement que je l'attende pour rien ? Il a su que son suicide lui donnerait prise sur nous tous. Il l'a calculé. Il l'a avoué lui-même. Il n'avait que trop raison. Mais toute chaîne a deux bouts. Je vois comment il me tient; mais lui, comment est-il tenu par moi ?

C'est vrai qu'il y a dans le suicide quelque chose d'ambigu. Il prouve qu'on a voulu mourir, mais il prouve aussi qu'on voulait

vivre : il est arrachement, non pas détache-
ment. *Récit secret* fait voir un Drieu qui
avance, impavide, vers la mort, mais la tête
tournée vers nous. Il ne cesse pas de nous
regarder. En même temps d'ailleurs qu'il
préparait son suicide, il préparait sa défense,
pour le tribunal auquel il pensait qu'il serait
déféré; il avait écrit un *Exorde*... Qu'est-ce
qu'il souhaitait vraiment ? Que souhaiterait-
il aujourd'hui ? Comment le savoir ? Avec lui,
on ne savait jamais. Avide et dégoûté, rechi-
gneur et quémandeur, il avait envie de tout,
et tout ce qu'il avait, il fallait que tout de
suite il s'en défasse, argent jeté, femmes
lâchées, objets perdus... Comme s'il ne désirait gagner que pour avoir plus à perdre. Il
changeait tout le temps : maurrassien, socia-
liste, anglomane, fasciste... Il expliquait d'ailleurs qu'il restait le même, en quoi il n'avait
pas complètement tort : ses points de vue
amers sur la décadence, sa volonté de maintenir son pays et lui-même, coûte que coûte,
dans l'histoire, à la pointe de l'histoire, n'ont
jamais varié. Il était sans doute instable plus
qu'inconstant.

Je n'arrive pas à fixer son souvenir. Il

m'obsède, mais il bouge — comme Drieu bougeait. Qu'est-ce qu'il me veut ? Qu'est-ce que je lui veux ? Je reste devant lui, perplexe. Notre stupide échec, à qui en incombe la faute ? A lui ? A moi ? A tout ce qui nous a entouré, aveuglé, aveuli ? Il est difficile de discriminer, dans une amitié, dans un amour, ce qui vient de soi et ce qui vient de l'autre. Tantôt on croit trop aux êtres, et tantôt on n'y croit pas assez : on se trompe par excès, on se trompe par défaut, il n'y a aucun moyen de ne pas se tromper. Aux vivants, on impute, avec une injustice naïve, ses propres changements, on pense : s'il était resté le même, je serais le même avec lui — ce qui n'est pas vrai. Quand il s'agit des morts, on s'impute, à soi seul, toutes les intermittences de la fidélité, et tous les progrès de l'oubli. Mais cela aussi, est douteux. De son vivant, je ne pensais pas que, dans notre amitié, je fusse tout, et Drieu rien. Ce n'est pas sensiblement plus vrai, depuis sa mort. Les jours qui ont suivi ma lecture de *Récit secret,* j'ai été soumis à sa présence, autant, plus qu'aux époques où il habitait chez moi, à la campagne, où nous voyagions en Bourgogne. En le lisant, j'avais l'impression d'être seul, il est vrai, et je ne l'avais pas quand je déjeunais avec Drieu à Beaune, à Chablis. De même, quand il sonnait à ma porte, que je lui ouvrais, que je voyais, dans l'embrasure, son chapeau mou, ses gros yeux bleus, son gros nez rouge, ses grosses lèvres boudeuses, j'avais l'impression que je ne pouvais pas ne pas le voir — et il me semble, au contraire, qu'il dépendait de moi de ne pas lire *Récit secret*. Mais ce sont là des impressions menteuses. Dès lors que Drieu avait écrit ce texte, il devenait probable qu'il serait publié, qu'il me serait envoyé, il était à peu près impossible que j'omette de le lire... Et d'autre part, j'aurais pu ne pas l'appeler au téléphone, ne pas aller chez lui, ne pas le faire venir chez moi, ne pas le mener à Dijon... Quand il ne serait pour moi, à présent, qu'un souvenir, un fantôme, ce souvenir, ce fantôme, n'en resteraient pas moins commandés par ce que sa personne fut, par ce qu'il en subsiste et même par ce qu'elle devient. Il m'a fait — bon gré, mal

137

gré, depuis son suicide — bien des confidences qu'il ne m'avait pas faites quand nous avions le plus d'apparente intimité. L'inquiétude qu'il me cause tient, pour beaucoup, à sa mort, c'est certain. Mais de sa mort qui est l'auteur ? Et mes rancunes mêmes, contre lui, d'où viennent-elles sinon des comportements qui furent les siens, que je suis trop sûr de n'avoir pas inventés ni souhaités. Aujourd'hui encore, Drieu reste déconcertant, pour moi, et pas pour moi seul. Son frère est venu, plusieurs fois, me montrer des manuscrits de lui, qu'il venait de découvrir, il décide de publier les uns, de ne pas publier les autres, je discute longuement, interminablement avec lui, de ces choix... Aux moments décisifs où le dactylogramme doit être donné à l'éditeur, Jean Drieu disparaît comme Drieu disparaissait. Il revient, affectueux, hésitant, lucide et irrésolu, après quoi, il s'évanouit sans même laisser une adresse. Tout se passe comme si Drieu lui-même continuait à me dire — et pas à moi seul : « Tu es mon ami, tu n'es plus mon ami... je voudrais bien ceci, non j'ai réfléchi, je ne le veux pas... »

Bien sûr, je ne crois pas aux fantômes.
Mais je doute aussi que mon imagination
suffise à les inventer. Ne devient pas fantôme qui veut, ceci me semble indéniable.
Il faut une âme dense, lourde, une personne
lésée pour qu'on puisse croire qu'elle rôde
autour des survivants, pour que certains
les voient, ou se le figurent. Car, même
s'ils se leurrent, encore faut-il comprendre
comment, par qui, par quoi ils sont leur-
rés. Pourquoi tant d'amis morts dorment-
ils dans ma mémoire d'un sommeil
si calme, alors que Drieu semble encore
soumis aux fluctuations du monde qu'il a
quitté ? Pourquoi mes rapports avec lui
— dont je sais bien que je ne suis pas le
maître — ressemblent-ils d'une manière si
frappante aux rapports que j'avais avec lui,
quand il vivait ? D'autres de mes amis sont
morts avec lesquels je discutais, comme avec
lui. Combien de fois Henri Durand ne m'a-
t-il pas parlé de l'amour, des jeunes filles, et
Mückenstürm de la France ? Combien de
fois Robert Haas ne m'a-t-il pas rappelé
l'unité de Dieu, le « A est A » en dehors

duquel, comme un prophète, il ne voyait
que futilité ? Pourquoi reposent-ils, eux,
dans une paix que ma souvenance elle-même
ne peut troubler, alors que Drieu reste tellement inquiet, inquiétant, lié à moi par un
lien qui tout à coup me tire, quand je le
croyais rompu ? Pourquoi l'intervalle qui me
sépare des morts me semble-t-il infranchissable, généralement, et me semble-t-il si
petit, presque dérisoire quand il s'agit de
Drieu ? Est-ce que j'accepte moins bien sa
mort que celle des autres ? Mais je l'accep-
terais mieux, sans doute, si lui-même y avait,
comme eux, acquiescé. Il l'a désirée avec
véhémence, il l'a voulue, il l'a forcée, sans
être totalement prêt, à se résorber en elle,
faute de la sérénité, qu'il n'avait pas et que
je ne peux pas lui communiquer, ne l'ayant
pas non plus. Je finis par trouver plus simple d'admettre chez certains morts une
sorte d'existence, que de me battre les flancs
pour expliquer qu'ils la manifestent, sans
l'avoir. Certes, on peut toujours invoquer
les illusions de la mémoire, de l'imagination,
les erreurs, les complaisances, les hallucina-
tions. Les morts n'en sont pas moins, bien

souvent, bien étranges... Proust aussi reste dans la mort surprenant et compliqué.

PROUST : LA LETTRE RETROUVÉE

J'avais perdu, en 1916, aux tranchées, toutes ses lettres. Ma femme en tira une en 1954 d'un guide Michelin de 1925, qu'elle puisa dans une caisse pleine d'objets hétéroclites venus de chez mon oncle Alfred Berl, après la mort de ma tante. Elle jeta le guide Michelin et s'apprêtait à déchirer la lettre ; elle se ravisa, et me dit : je la déchire ? Je poussai un cri, j'avais reconnu l'écriture de Proust. Comment cette lettre se trouvait-elle dans ce livre ? Je suis certain de ne pas l'y avoir mise. En 1925, Proust était mort, je n'aurais décemment pas rangé sa lettre dans un guide Michelin. Mon oncle et ma tante n'ont certainement pas connu son existence, sans quoi ils me l'auraient rendue. En 1945, pour me consoler d'avoir perdu mon édition originale de Swann, ils me donnèrent la leur... Je suppose que j'ai dû porter cette lettre dans ma capote, en 1915, au cours d'une permission, que je l'ai placée dans un livre, que j'ai porté ce livre chez mon oncle, qu'il ne l'a pas ouvert, qu'une femme de chambre un jour qu'elle nettoyait la bibliothèque, l'a secoué, en a fait tomber la lettre, l'a ramassée et mise par erreur dans le guide Michelin. Comment celui-ci a-t-il échappé à une destruction presque certaine, pendant plus de vingt ans ? Mon oncle avait toutes les raisons de le jeter. Moi-même, j'ai dû, faute de place, « laver » beaucoup de ses livres, parfois à regret. Pour venir chez moi, il a fallu que le guide Michelin échappe au bouquiniste, au chiffonnier, à moi-même et à ma femme comme il avait échappé à mon oncle et à ma tante.

Le moment où la lettre réapparut n'était pas moins bizarre que sa disparition et sa réapparition. En effet, trois ou quatre jours auparavant, j'avais demandé à Mme Mante-Proust la permission de consulter le manuscrit du *Temps retrouvé.* La N. R. F. se préparait à le réimprimer dans la *Pléiade,* j'espérais rétablir certaines phrases qui me semblaient exprimer le contraire de ce que Proust avait voulu dire. Je n'ai jamais fait

ce genre de travail, il me rebute. Proust lui-
même en a montré la vanité. Je tenais à le
tenter pourtant, et non par souci littéraire,
mais parce que j'éprouvais envers Proust un
certain sentiment de culpabilité dont je voulais me défaire. Je n'avais parlé à personne
ni de ses lettres, — que j'avais perdues — ni
de l'amitié qu'il m'avait témoignée — et que
j'avais perdue elle aussi; tout, hors le silence,
me semblait abusif... Ce silence, je l'avais
rompu pourtant, quand j'écrivis *Sylvia,*
m'étant aperçu que mon récit devenait incompréhensible si je m'obstinais à l'en omet-
tre ou à ne pas le nommer. Je ne m'étais pas
résigné sans de longues hésitations à ce
détournement avantageux et sacrilège. Il
m'avait semblé que, si je parvenais à rétablir
quelques-unes de ses phrases, à travers de
fausses versions, je compenserais un peu mon
indélicatesse. Je ne réussis d'ailleurs pas : je
persiste à croire que les phrases étaient fau-
tives ; mais le manuscrit très clair, ne permettait pas de les rectifier. Je reste persuadé
que Proust s'est trompé, en écrivant ; mais
ses éditeurs ont imprimé, avec exactitude, ce
qu'il avait écrit. Quand je retrouvai sa lettre,

si inopinément, il me sembla un peu que j'étais récompensé de ma bonne intention, quoiqu'elle fût restée inefficace.

Peu de temps auparavant, Paulhan m'avait faire lire le *Secret de Marcel Proust*. L'auteur y faisait état d'une lettre de Mme de Noailles qui répondait à une lettre de Proust — d'ailleurs perdue.

Il l'avait écrite après la mort de sa mère. Le commentateur supposait que, dans son désarroi, Proust avait avoué à Mme de Noailles des rapports monstrueux qui frôlaient l'inceste.

J'étais bien sûr que, dans cette critique romancée, il n'y avait pas un mot de vrai.

Et d'abord parce qu'à mon estime, il n'avait jamais existé, entre Mme de Noailles et Proust, une amitié qui rendît concevable, en aucun état de cause, une telle confidence. Je les avais connus, l'un et l'autre. Je ne me rappelais pas que Mme de Noailles eût jamais parlé de Proust devant moi ; personne chez elle ne m'avait signalé ses livres. Lui-même, chose plus grave encore, ne m'avait guère parlé d'elle, il connaissait pourtant l'affection de Mme de Noailles pour mon cousin Franck, et savait qu'il me toucherait en me disant son attachement pour elle. Certes, ils avaient échangé beaucoup de superlatifs; mais c'était le ton de l'époque; il ne fallait pas en être dupe. Même des aveux moins lourds, ce n'est pas à Mme de Noailles que Proust les eût faits. Peut-être n'eût-elle pas permis qu'il les lui fasse.

J'écrivis tout cela à Paulhan. Ma lettre me parut très longue. Je vis, en la relisant, qu'elle ne contenait aucune preuve positive. Je la déchirai.

Or la preuve qui me manquait, je l'avais détenue : dans la lettre que je récupérai, Proust en effet écrivait que malgré sa grande admiration pour Mme de Noailles, « en quinze ans, il n'avait pas cherché trois fois à la voir ».

Je l'avais oublié, j'avais retenu seulement que l'amitié de Proust et de Mme de Noailles n'était guère sortie du cadre mondain dans lequel elle s'était nouée. Si absurdes — et choquantes — que fussent les hypothèses du critique, les raisons qu'il donnait pour les défendre étaient plus absurdes encore : « Trois fois en quinze ans », c'est-à-dire de

1902 à 1917, ce n'est pas assez, quand il s'agit de l'unique dépositaire du secret le plus étouffant ! La lettre retrouvée changeait en certitude ma conviction.

Assurément, je n'ai pas cru que Proust lui-même, me l'ait en quelque sorte réexpédiée. Mais comment n'être pas impressionné de le voir agir, mort, comme il eût fait, vivant, avec les mêmes retours sinueux, et inattendus, avec la même précision méticuleuse ? Je ne pense pas, certes, qu'il se soit complu à je ne sais quels jeux d'ectoplasmes auxquels je ne joue pas et qu'il eût dédaignés, assurément.

Mais il me parut à la fois mystérieux, naturel et admirable que son allure et même son destin soient si peu modifiés par la mort. Ce destin, implacable, de tragédie, qui a commandé sa vie, et son œuvre, soumises toutes deux à la même rigueur, il continue. Proust est pour moi, lui aussi, et certes, pas pour moi seul, un mort obsédant. Même ceux qui l'avaient approché, admiré pendant sa vie, ne l'ont découvert qu'après qu'il l'eut terminée, et terminée avec une impatience troublante. Dans sa dernière maladie, son comportement fut quasi suicidaire. Beaucoup estiment que, s'il avait permis qu'on le soigne, il aurait surmonté facilement la crise à laquelle il succomba. De sorte qu'on ne sait pas bien où, chez lui, finissait la défiance de la médecine, et où commençait la fatigue d'exister.

Sans doute, il avait terminé son œuvre; on dirait même que la mort attendait le moment où il l'aurait finie. Mais dans le plan humain, cette mort survenait prématurément. Epuisé de s'être exprimé, Proust pourtant restait jeune; ses cheveux n'avaient pas blanchi, ses yeux, ses dents n'avaient rien perdu de leur éclat étrange. La peinture qu'il fait du vieillissement montre assez qu'il ne le connaissait pas : il croyait qu'un vieillard c'est un jeune homme auquel l'âge surimpose une perruque, une barbe, un nez, des rides postiches, ou alors un jeune homme écrasé par le cancer, par l'hémiplégie, comme Swann ou Charlus; il ne savait pas que la vieillesse, telle l'enfance, est un univers irréductible. Il n'a pas pu mettre au net ses derniers volumes, corriger ses épreuves, et, s'il a joui de son succès tardif, il n'a pas assisté, comme Picasso, comme Claudel, comme Bergson, à son entrée dans la grande gloire. Il a eu le temps d'achever son livre, mais non pas celui de s'en détacher.

Les morts à cinquante ans, la sienne, celle de Manet, ont un pathétique que n'ont pas celles des vieillards, ni celles des êtres tout jeunes. Je ne pense pas seulement à Keats ou à Lautréamont, mais à mes amis tués en 1914. C'étaient des adolescents qui avaient terminé leur adolescence; assurément, leurs vies, si elles avaient continué, eussent ouvert de nouveaux cycles, mais le premier cycle était clos, Henri Durand, Jacques Mayer se seraient mariés, je suppose, mais j'ignore avec qui; ils auraient eu des enfants, mais je n'imagine pas lesquels. Alors que j'imagine le livre qu'un Drieu apaisé aurait pu écrire sur les religions. Jean Rostand enseigne que les libellules subissent cinq, six mues, avant la métamorphose ultime qui leur confère leurs ailes; le cas le plus révoltant, il me semble, le plus scandaleux, n'est pas celui des larves qui meurent au premier changement de carapace, mais de celles qui échouent —

tout près du but — au moment où va commencer, après tant de travaux, leur vraie vie de libellules enfin ailées et fécondes. Rien, de même, ne me semble plus inacceptable que, chez un être humain, l'arrêt brusque d'une méditation en train de déboucher sur son objet éternel, ou d'une action qui commençait tout juste à engranger sa récolte... Il n'est pas choquant pour la raison que Proust, Drieu soient des morts instables, dont les ombres flottent quelque temps sans se fixer, et ne peuvent s'empêcher de tourner parfois la tête vers nous, dans leur marche au néant; et il me semble bien difficile de penser que l'extrême différence des agonies n'ait aucun prolongement, ne développe aucune conséquence, nulle part.

Colette est morte comme une pivoine s'effeuille, tranquillement, d'un seul coup. Elle avait gardé dans la mort ce caractère végétal qui avait conféré tant de dignité à sa vie. Elle avait eu le temps, non seulement d'accomplir son destin, mais d'y acquiescer. Mon oncle, Alfred Berl, de même, avait perdu le goût de vivre, avant d'être atteint par la mort. Il n'était pas malheureux, il ne souffrait pas; mais il donnait l'impression d'une personne qui a envie de se lever de table et s'en retient par politesse. Quoi ! il avait quatre-vingt-dix ans. Ma grand-mère, tellement passionnée pour ses enfants et ses petits-enfants à la fin de sa vie, mes visites qui naguère faisaient scintiller de joie sa figure parcheminée, ne lui donnaient plus aucun plaisir, son cœur était vide et calmé.

L'âge y fait beaucoup, c'est sûr, mais il n'est pas tout. Ma mère est morte à trente-neuf ans, sa tendresse pour moi restait intacte, je crois. Mais le fond de sérénité sur lequel cette tendresse se détachait devenait, de semaine en semaine, plus apparent, comme si un artisan invisible l'avait rechampi.

Elle m'aimait toujours; mais après s'être posé à mon sujet, tant de problèmes, elle ne s'en posait plus. Elle ne me parlait plus de l'Université, du grec, du sanscrit, des tombes, des morts même, elle allait vers eux, tranquillement.

Mais mon père ! Lui non plus n'avait pas quarante ans, il est entré dans la mort sans entrer dans la paix. Beaucoup finissent ainsi;

on meurt, mais on ne consent pas à mourir, les râles cessent, le diaphragme arrête de se mouvoir, le cœur de battre — et la lutte de la personne contre sa propre destruction ne semble pourtant pas terminée. Le fusillé de Goya, dans une seconde ses bras levés s'abaisseront, ses yeux exorbités s'éteindront, sa bouche pleine de cris se taira; et j'ai quand même le sentiment que son cadavre continuera à hurler.

L'immortalité est un paradoxe absurde, auquel la foi seule peut acquiescer : puisqu'elle suppose une résurrection, et que chaque instant de notre vie fait mourir en nous, à jamais, quelque chose. Mais il semble au contraire tout simple que la mort mette des temps inégaux pour achever l'anéantissement des êtres dont elle se saisit dans des conditions si diverses. La résistance de la chair à la décomposition varie, selon l'état du cadavre et les modalités de la sépulture. Même à supposer vraies les propositions contestées du matérialisme, il serait étrange que la résistance de l'âme ne varie pas elle aussi. Personne ne révoque en doute certains modes de la survie : les dettes des morts sont exigibles, leurs engagements restent valables, exécutoires; on trouve tout naturel de les honorer, ou, au contraire de les dénoncer, de les disqualifier; les bibliothèques regorgent d'œuvres posthumes, les études des notaires de testaments sur lesquels on dispute. Le déni péremptoire que tant de gens opposent à la survie montre leur passion, leur prévention, leurs craintes secrètes, plus que leur obéissance à la Raison dont ils se réclament, et qui les inviterait sans doute à suspendre leur jugement. Il est vrai, d'ailleurs, que la survie est un cauchemar, non moins que le néant.

Je ne sais plus. Je ne sais pas. Les morts à la fois m'assaillent et me fuient. Ils me ressemblent trop, ils se ressemblent trop peu les uns aux autres. Il y en a trop, qui sont trop misérables; la mort leur prend plus que la vie ne leur avait donné. Tantôt on dirait qu'ils me requièrent, comme leur ultime recours contre l'écrasement, et tantôt, on dirait qu'ils redoutent mon contact, comme s'ils craignaient que je les rende à la corruptibilité dont ils se sont guéris. Je ne crois pas aux fantômes, mais ma chambre en est pleine, et ma mémoire, et mon cœur. Tout est impossible, incompréhensible et difficilement tolérable. Ma fatigue et l'inintelligibilité du monde se mélangent. Je ne distingue plus bien la présence, absence en relief, et l'absence, présence en creux. Il me semble que, moi-même, j'appelle ceux qui ne peuvent me joindre, comme je suis appelé par eux, et non moins vainement. Je ne suis même pas sûr de bien discerner mes souvenirs des leurs : il y a quelques semaines un jeune garçon m'a cité une phrase de moi; mais je ne l'ai pas reconnue, j'ai cru que c'était Drieu qui l'avait écrite. Quand j'étais petit, on jouait à nous cacher la figure, à maman et à moi; on ne laissait voir que les yeux, il fallait deviner lesquels étaient les siens, et lesquels étaient les miens : beaucoup s'y trompaient. Sais-je bien où je commence, où je finis... Je suis fatigué. Je pense à la phrase de Kipling : « Es-tu encore vivant, petit d'homme ? » C'est Kaa qui l'a dit à Mowgli; parce qu'il vient de faire un grand effort pour se rappeler beaucoup de choses, très lointaines.

LE CARRÉ MAGIQUE

Cahin-caha, ma convalescence progresse. Non que je me sente plus vaillant, il me semble, au contraire, que la fatigue m'accable de plus en plus. Mais j'ai quitté l'hôpital, je suis rentré chez moi, je retrouve une à une mes habitudes; j'ai recommencé à fumer; je lis derechef les journaux. La matinée qui là-bas s'ouvrait par la relève des infirmières, débute maintenant par un regard sur les nouvelles qui d'ailleurs m'ennuient. Hier, on m'a fait asseoir sur mon balcon; le transatlantique est toujours aussi difficile à déplier, dans l'espace étroit qui sépare mon mur de ma balustrade. Les petites colonnes qui soutiennent sa tablette de pierre vermoulue, sont un peu plus noires, encore, que la saison dernière; mais je les aime, moins pour leur beauté que pour être un des leitmotive de Paris, dont elles évoquent tant de places, et tant de palais. Demain je descendrai au jardin, je rentrerai par la rue Richelieu, je m'arrêterai chez le fleuriste, j'espère ramener une ou deux de ces bottes d'anémones qui font rire Cocteau quand il me les voit dans les mains. Ma vie ne me demande pas moins d'efforts qu'il y a quinze jours, elle ne me donne pas plus de contentement, mais elle se ressemble davantage, à elle-même.

A mesure qu'elle se rapproche de la normale, l'essaim des morts s'éloigne de moi; ils se font plus rares et plus pâles. Est-ce eux qui se détournent de moi ou moi qui me détourne d'eux ? L'un et l'autre peut-être : la même force qui m'écarte d'eux les écarte de moi. C'est certain, d'ailleurs, qu'ils m'ont découragé.

J'ai bien compris qu'avec eux, j'aurais toujours tort, quoi que je fasse. Quand je les oublie, je les frustre du peu de réalité qu'il serait en mon pouvoir de leur conserver, et il me semble entendre le murmure timide de leurs appels, de leurs reproches auxquels trop souvent ma dissipation me rend sourd. Mais dès que je pense à eux, il me semble que je les rattache abusivement à tout ce qu'ils ont — de gré ou de force — quitté, je me sens indiscret, inadéquat, comme chez le vieil ami, qu'on va voir, qui vient de se remarier, et auquel, par sa seule présence, on rappelle un passé qu'il veut oublier.

Il faut bien avouer qu'en ce domaine, tout devient tout de suite, ingratitude, comédie ou sacrilège. Les morts sont morts, je suis vivant, le reste est imposture, voilà le fait essentiel, contre lequel mes lâchetés se brisent. La glace sans tain qui me sépare d'eux est mince, assurément, elle sera brisée bientôt — mais tant qu'elle ne l'est pas, elle demeure infranchissable. Je suis de mon côté, eux du leur. Je peux faire semblant de l'oublier mais cela n'y change rien. La mort les a bâillonnés. Mais s'ils pouvaient parler, leurs premières paroles seraient sans doute pour me dire : « Bientôt tu seras pareil à nous, un des nôtres, tu ne l'es pas encore tu ne peux pas nous comprendre, nous aider; laisse nous donc en paix. » La piété elle-même ne leur semble-t-elle pas dérisoire, injurieuse ? Le « nous devrions pourtant lui porter des fleurs » de Baudelaire paraît touchant quand on le lit, atroce pour peu qu'on y réfléchisse. La *Servante au grand cœur* n'avait certes pas mérité l'humiliation de cette aumône douteuse et non-chalante. De même, quand Chateaubriand nous dit que, tous les ans, il porte un bouquet sur la tombe, toujours défleurie, d'Armand Carrel, on se demande quelle impression ces visites eussent faite à Carrel, s'il avait pû les connaître. Elles lui auraient probablement rappelé l'ingratitude des personnes qu'il avait préférées, et qui, elles, ne s'y astreignaient pas. Chateaubriand d'ailleurs, eût-il sonné à la porte d'un Carrel vaincu, solitaire, abandonné, mais vivant ? Carrel la lui eût-il ouverte ? Si les morts sont anéantis, quel sens ont ces visites ? S'ils ne le sont pas, quel droit a-t-on de les faire sans y mettre la même discrétion qu'envers les vivants ?

Je vois mal comment échapper à cette fatalité d'indélicatesse; car la piété elle-même ne parvient pas à nous en défendre. La chambre de ma grand-mère, avenue d'Eylau, était une manière de mausolée, tout y était consacré au souvenir de ceux qu'elle avait perdus. A la tête du lit, le dessin qui représentait son fils, sur son lit de mort, sur le grand panneau le portrait de son mari, à droite de la porte, le portrait de sa mère —

à gauche de la cheminée, la bibliothèque de poirier où elle enfermait les livres de mon oncle Emmanuel, entre les fenêtres, le chiffonnier où elle cachait ses lettres, ses reliques; sur la table, à côté de la lampe Carcel, le petit cahier de moleskine noire où elle déversait le trop plein de ses regrets, quand ses yeux usés lui permettaient d'écrire. J'y ai lu, pour je ne sais quel anniversaire : « Mon Dieu ! Augmentez mon courage, mais laissez-moi mon chagrin. »

Je comprenais bien que cette chambre, tellement surchargée de souvenirs si précieux, avait un caractère sacré; je n'y entrais pas sans quelque gêne, surtout quand ma grand-mère la laissait dans la pénombre. Mais elle ne pouvait pas empêcher qu'on la profane. Il le fallait bien. La femme de chambre, soudain, y apportait le grand plateau sur lequel, parmi les assiettes de pain grillé, de croissants, de kugelopfs, de butterkuchens fumaient le pot à lait, de porcelaine blanche, et la cafetière brune, plongée dans son bain-marie. Ma grand-mère et ma tante Caroline, chacune dans son fauteuil, près du feu, attendaient non sans impatience, leur

goûter; après avoir parlé des morts, elles parlaient des vivants, des mariages conclus ou
possibles, ou probables; elles riaient en man-
geant leurs pâtisseries alsaciennes, elles se
rappelaient les dimanches de leur enfance,
au Locle, le saut du Doubs. Il me semblait
qu'un voile de crêpe tombait sur tous les
portraits de ces morts qui, eux, ne pouvaient
plus manger, ni rire, ni boire.

Plus tard, j'ai admiré la fidélité magna-
nime d'Anna de Noailles envers les morts.
Elle n'acceptait pas leur destin; elle s'imaginait empêcher, par sa révolte, qu'ils soient
tout à fait morts, elle pensait les retenir à
force de cris. Mais les cris devenaient des
poèmes, les poèmes, une fois imprimés, la
rendaient inquiète, irritable; ils la faisaient
multiplier ses lettres aux journalistes, aux
éditeurs, les coups de téléphones, ils l'enfon-
çaient dans la vie, finissaient par l'éloigner
un peu plus de ceux qu'elle prétendait maintenir, de force, près d'elle... « Les vivants et
les morts » étaient devenus des volumes,
qu'il fallait bien expédier, avec des dédicaces,
non sans la peur obsédante de quelque omis-

159

sion calamiteuse. Le moyen qu'il en aille autrement ?

Hélas ! Nous trahissons les morts en les oubliant, et nous ne pouvons pas penser à eux sans les trahir ! Nos fidélités s'avèrent d'autant plus abusives qu'elles sont plus ferventes. Le survivant finit par croire qu'on viole les volontés du mort, quand on résiste aux siennes. Sa piété tourne en idolâtrie; il se figure adorer un disparu, quand il se prosterne devant ses propres passions. L'erreur de perspective, ici, est parfois tellement grossière, tellement flagrante qu'on la rectifie tout seul, au moment même où on y tombe. Mais elle se reforme aussitôt; car il n'est pas vrai qu'il suffise de démasquer une illusion pour la détruire; le mirage se recompose, la corde qu'on avait prise pour un serpent a de nouveau l'air d'un serpent; dans mon enfance une moulure de plafond se transformait, la nuit, en un monstre terrifiant; je rallumais l'électricité, la moulure aussitôt redevenait moulure; mais dès que j'éteignais, elle redevenait monstre. De même, je sais que j'exploite les morts, quand je pense à eux, mais j'ai beau le savoir, je ne peux pas m'en empêcher. Qui peut le faire ? Aux adultes comme aux enfants, aux civilisés comme aux sauvages, dans le souvenir comme dans le rêve, ils n'apparaissent que malveillants ou bienveillants, pères Fouettard ou pères Noël. Je comprends que, envers eux, je ne puis qu'osciller constamment, entre l'égoïsme et l'oubli. A la fois requis et indigne, tel un contagieux qu'on appelle au secours, je dois accourir, mais je ne peux pas ne pas contaminer.

Comment d'ailleurs pourrais-je avoir une conduite assurée, dans un domaine où je ne sais pas ce que je crois ? Il faudrait être vraiment sûr, ou bien que les morts continuent, ou bien qu'ils cessent d'exister. Mais je pense l'un et l'autre; en quoi je suis sans doute comme tout le monde. Car il semble bien que personne, ou à peu près, ne croit à la survie, sans cela, on ne serait pas accablé par la mort des autres, ni épouvanté par la sienne — ou on le serait différemment. Mais personne non plus, ou à peu près, n'en doute. Qui donc a le courage d'agir comme s'il ne restait rien de l'être dont ils déclarent qu'il ne reste rien ? Gaston Gallimard m'explique qu'il ne croit pas à la survie, mais il ajoute aussitôt qu'il ne veut à aucun prix après sa mort d'un « Hommage » de la N.R.F. Qu'est-ce que ça peut lui faire, pourtant, s'il doit n'en rien savoir ?

L'idée d'une immortalité personnelle irritait Drieu, à juste titre : il la trouvait insoutenable et veule; moi aussi, elle m'irrite : je suis déjà mort à moi-même, je ne peux donc pas persister, je ne pourrais que ressusciter. Mais comment ? Tel que je suis ? Tel que je fus ? Tel que je devrais être ? Auteur des livres que je regrette d'avoir écrits ? Ou de ceux que je regrette de n'avoir pas écrits ?

Tout en préparant ses suicides, Drieu s'acharnait à défendre sa mémoire. Pourquoi ? Moi-même, je serais ennuyé de mourir sans avoir terminé ce livre, que d'ailleurs je ne trouve pas bon. Pourquoi ?

Je ne sais ni ce que je dois ni ce que je crois. C'est sûr cependant que j'ai une croyance. « Qui ne croit pas, ne pense pas », dit l'Upanishad. Je sens d'ailleurs ma croyance grouiller en moi, travailler la pâte de ma propre personne, y faire lever des bulles vides; mais je ne peux pas la saisir. Elle est là, mais je ne la vois pas. Absence et non présence, comme dans mes rayons la place creuse du livre que je cherche, et sur lequel je ne peux pas mettre la main.

Il n'est pas vrai que je ne croie pas; je crois des choses qui ne vont pas ensemble, et entre lesquelles je flotte. Il n'est pas vrai que je croie à la survie, ni que je n'y croie pas, le vrai, c'est que j'y crois et que je n'y crois pas. Il n'est pas vrai que je ne sache pas s'il faut évoquer les morts ou les laisser tranquilles : je suis sûr qu'il faut penser à eux, et sûr qu'il ne le faut pas. Il n'est pas vrai que je ne pense pas : ce qui est vrai, malheureu-ment, c'est que je pense, aussitôt, le contraire de ce que je viens de penser. Je ne peux pas interrompre cette oscillation constante sinon en me résignant à la comédie, à la déchéance que la comédie implique, en décidant, une fois pour toutes, que je ferai comme si j'avais adopté, une fois pour toutes une des positions entre lesquelles, précisément, je balance. Il n'est pas vrai que je n'entende pas l'appel des morts. Je l'entends sans cesse; pourvu que je me taise; il surgit du silence,

163

comme les étoiles surgissent de la nuit. Ce qui est vrai, c'est que je perçois, aussi, le mutisme qu'ils m'opposent. Ce refus de répondre qui fait une même chose avec leur condition, avec la mienne, et contre quoi je bute, comme à une porte de fer. De sorte que je ne peux ni parler sans mentir, ni agir sans péché. Tout ce que je dis est faux, tout ce que je fais est mal — et je ne vois pas moi-même le moyen qu'il en soit autrement. Car il y a bien des années que je m'achoppe à ces murailles entre lesquelles mes pensées vainement rebondissent, comme une balle de trinquet. Je connais ma prison. C'est un carré magique.

2	9	4
7	5	3
6	1	8

On peut l'arpenter dans tous les sens, de haut en bas, de gauche à droite, et en suivant l'une ou l'autre diagonale, toujours on retombe sur le même chiffre : quinze, sauf que pour moi il s'agit d'un (1 — 1), zéro qui à chaque coup referme sa boucle et esquisse le nouveau point d'interrogation, auquel ne sera donné aucune réponse.

Car j'ai interrogé bien des cadavres, bien des tombes, et bien des livres. Les religions même ne résolvent le problème de la mort que dans la mesure où elles nous enseignent à ne plus le poser. Le judaïsme ne choisit pas entre l'anéantissement et l'immortalité; il dirait plutôt : taisons-nous, et adorons Dieu; le christianisme ne nous dit pas quelle transmutation est la béatitude, le bouddhisme, quelle transmutation signifie le nirvana, la gîtà ne nous dit pas ce que deviennent les âmes, une fois qu'elles se résorbent en Krishna.

Elles indiquent, plutôt, une autre vie où les contradictions dans lesquelles je m'empêtre, sans être levées, se révéleraient illusoires, autant que ma vie est précaire, où on serait à la fois vivant et mort, et ni mort ni vivant.

LA DAME DU PALAIS-ROYAL

Je ne sais pas, je suis fatigué. Je vais à ma fenêtre, je regarde le jardin, le ciel, les mar-

ronniers sans feuilles, les plates-bandes qui
n'ont pas encore de fleurs, et la symétrie
calme des arceaux, rue de Beaujolais, rue de
Valois.

Toutes les fenêtres sont fermées, sauf une
seule, qui est ouverte, sur le côté Valois du
Palais-Royal, un peu à droite, et en contre-
bas de mon balcon. Je la connais bien. Elle
s'ouvre et reste ouverte tous les jours, même
au fort de l'hiver. L'après-midi généralement. Dès qu'elle s'ouvre, une femme y apparaît, dans le même peignoir grisâtre, dont
je ne sais pas s'il tire davantage sur le mauve
ou sur le beige : peut-être, elle en a deux,
peut-être la teinte change avec la couleur du
temps ? Je ne peux pas bien l'observer : la
dame ne reste jamais immobile, elle vient
du fond, pour moi invisible, de la chambre
et, dès qu'elle arrive à la croisée, en pleine
lumière, elle fait demi-tour, disparaît dans
l'ombre. Le temps de compter quatre, et elle
reparaît, mais de nouveau, elle se retourne,
sans une seconde de pause. Cette déambulation dure une demi-heure, parfois davantage. Il advient qu'elle ait lieu dans la matinée; mais elle reprend quand même, au

coucher du soleil. Dès qu'elle cesse, la fenêtre se referme, mes regards butent contre
les rideaux; dès que la fenêtre se rouvre, le
va-et-vient reprend.

Voilà quatre ans que je l'observe. Mais la
dame l'a sans doute commencé bien avant
que je le remarque. Depuis quand ? Elle n'a
pas dû manquer souvent à faire son étrange
exercice, car, si je n'ai pu le vérifier chaque
jour, d'autant que ses heures varient, jamais
je ne l'ai guettée sans la trouver fidèle au
rendez-vous, dont je n'ai pas éclairci le mys-
tère.

J'ai distingué d'abord sa chevelure. Chevelure jamais relevée, noire, sans boucles,
elle tombe juste au-dessous de la nuque, sur
l'étoffe mate du peignoir qui en rehausse
l'éclat. Chevelure abandonnée, mais solide
comme une crinière, et qui n'a pas grisonné
encore, ni terni.

Puis j'ai été frappé par la marche, raide,
presque solennelle. De plus en plus régu-
lière, avec les années, et chaque jour d'ailleurs, à mesure que l'exercice se prolonge.
On dirait que cette dame fait un effort pour
donner à ses pas le rythme le plus égal

qu'elle peut, et à ses enjambées la même longueur. Elle marche, toute droite, sans plier le cou, sans le redresser. C'est cette régularité qui m'hallucine : au bout de quelques minutes je doute si c'est vraiment une femme que je vois, ou le pendule de quelque horloge géante dont le cadran serait et resterait invisible.

Je l'ai souvent cherchée, dans le jardin, dans les rues voisines. Jamais je ne l'ai rencontrée. Sans doute je ne l'ai vue que décoiffée et déshabillée, et peut-être avec un chapeau, avec un chignon, devient-elle difficile à reconnaître ? Il est vrai aussi que les deux rives de notre jardin, quoiqu'il ne soit pas bien large, restent distinctes : les habitants de la rue de Valois sont attirés par la rue du Louvre, la rue Etienne-Marcel, ceux de la rue Montpensier par la rue Richelieu et l'avenue de l'Opéra. Les uns et les autres se promènent quand même dans le Palais-Royal, ils débouchent sur le même métro. Et je suis bien persuadé que j'aurais reconnu ma voisine, si je l'avais vue, un matin, sur une des chaises qui se pressent l'hiver, devant la Galerie Beaujolais, la plus ensoleillée, et l'été, au-

tour du bassin, lorsque tout le monde se rapproche, tant qu'il peut, du jet d'eau, pour
jouir de sa fraîcheur fallacieuse. Depuis le
temps que je la regarde, quoique je ne sois
pas aussi bien placé que je le voudrais, pour
la voir, j'ai fini par me faire une idée assez
nette de sa personne. De son visage un peu
affaissé, très blanc, presque blafard, de ses
yeux noirs, qui dardent leurs faisceaux suivant une ligne rigoureusement perpendicu-
laire à l'axe du corps, et fixent toujours le
même point.

Un soir d'été la fenêtre est restée ouverte,
quoique son exercice fût terminé. Elle est
restée assise un moment, devant sa coiffeuse
qu'éclairaient deux appliques, elle s'est pei-
gnée. J'ai aperçu son épaule, blanche elle
aussi, ni grasse ni maigre. Sa peau n'accroche
pas la lumière. Elle ne sort guère, je pense,
peut-être elle ne sort jamais.

Elle vit seule sans doute. Je n'ai jamais vu
personne se tenir près d'elle; ni ouvrir la
fenêtre, ou la fermer, à sa place. Seule dans
son peignoir, sur lequel, parfois, rarement,
elle jette un châle jaune, elle est là, elle accomplit son exercice, voilà tout.

L'assiduité et l'application qu'elle y met montrent assez l'importance qu'elle y attache. Mais pourquoi ?

J'ai longtemps cru qu'on le lui avait imposé, ou qu'elle se l'imposait à elle-même, précisément parce qu'elle avait décidé de ne jamais sortir; qu'elle compensait sa claustration par les deux mille ou trois mille pas qu'elle faisait devant sa fenêtre ouverte, sur l'ordre de son médecin, peut-être de son confesseur, ou par une élémentaire sagesse. J'ai supposé qu'elle comptait soigneusement ses pas, pour être en règle avec elle-même. Mais s'il s'agit simplement de culture physique, pourquoi tant de régularité dans la marche, et tant de monotonie dans les mouvements ? Pourquoi n'aller jamais plus vite ? Ne jamais remuer les bras ? Ne jamais tourner, ni incliner la tête ? Pourquoi cette fixité des yeux ? Et pourquoi, si son exercice est tellement simple, cette tension qui l'accompagne, tension dont j'ai fini, malgré la distance et la pénombre par percevoir, et même par ressentir l'intensité ? Car cette déambulation ne comporte aucune difficulté, et pourtant semble absorber ma voisine autant qu'un saut périlleux.

J'ai songé alors aux exercices de yoga. Mais ils requièrent plutôt l'immobilité que le mouvement. La rétention du souffle est sans doute incomptable avec ce va-et-vient crispé.

J'ai fini par comprendre que cette dame ne faisait pas un exercice, mais une prière. J'ai concentré mon attention sur ses mains. J'ai eu beaucoup de peine à les voir. Elle tient ses bras collés au corps, comme si elle les étirait, les élongeait vers les genoux, et ses mains, restent dans l'ombre du balcon, cachées à ma vue par les colonnes de la balustrade, même quand son buste émerge en pleine lumière à la croisée. Mais un soir où le soleil couchant éclairait mieux sa fenêtre, j'ai vu que ces mains étaient jointes et formaient, avec les bras, un angle aigu.

Elle priait donc. Que pouvait être cette prière ? Je n'ai aperçu dans sa chambre ni crucifix, ni prie-Dieu, ni à ses bras aucun chapelet. J'admets que la place naturelle du crucifix soit à la tête du lit que je ne peux pas voir. Mais le prie-Dieu pourrait se trouver à côté de la coiffeuse.

L'idée me vint alors que ma voisine était déséquilibrée, à demi folle. Je m'étonnai de ne pas y avoir pensé plus tôt. J'imaginais, avec quelque épouvante, le monstrueux amas de rêvasseries que, depuis tant d'années, cette femme avait accumulé dans cette chambre; elle l'avait peu à peu transmuée en une prison, un paradis peut-être, dont elle ne pouvait plus sortir; sa raison y avait sombré.

Sa claustration volontaire s'expliquait par la ruse, que conservent le plus souvent les fous et les névropathes; d'instinct, elle réduisait au strict minimum ses contacts avec le monde extérieur, avec les autres, dont il lui fallait se cacher sous peine qu'ils la démasquent, contre lesquels il lui fallait protéger sa démence, afin de pouvoir continuer à pouvoir s'y adonner librement.

Il semblait trop naturel qu'à force de se complaire à la solitude, elle soit devenue incapable de distinguer le réel de l'imaginaire, que ses habitudes se soient érigées en manies, en règles, en rites infrangibles. Avait-elle une idée bien nette du temps? Peut-être à une certaine date, à une certaine heure, il s'était arrêté pour elle. Peut-être cherchait-elle à en recouvrer le sentiment par le mouvement de pendule qu'elle imprimait à son propre corps ? Elle voulait que le balancier continue d'osciller quoique, le cadran, les aiguilles, les rouages auxquels il répondait n'existassent plus, depuis son deuil ou son malheur.

Elle avait l'air de prier, il est vrai. Mais ne conservait-elle pas dans tous les actes de sa vie, la même raideur hiératique, que dans ses exercices qui la faisaient ouvrir sa fenêtre et me permettaient de la voir. Sa prière n'était peut-être que le reste d'une vie religieuse depuis longtemps éteinte, mais qui n'en continuait pas moins à faire prendre au corps des attitudes, dont l'esprit dérangé, lui, ne connaissait plus le sens. Car il était probable qu'à force de se replier sur elle-même, cette femme avait fini par n'être plus qu'un faisceau de mécanismes; les sentiments, les idées qui les commandaient gardaient leur empire, quoique la conscience les perçût d'une manière de plus en plus vague et intermittente. Ma voisine avait dû croire qu'elle pourrait rester seule, décider qu'elle le resterait, sans prévoir qu'elle risquait de s'empiéger dans sa solitude. Et celle-ci l'avait changée en cet automate vêtu de mauve, qui détachait sur cette grande façade de pierre sa silhouette hallucinante.

Cet appartement qui était devenu son destin, y avait-elle vécu jadis sa vie véritable, avec l'homme qu'elle avait aimé ? Où était-ce, plus vraisemblablement, celui de ses parents défunts ? Peut-être, elle y était née ? Je l'imaginais mal, même adolescente, ailleurs que sous ce haut plafond, devant cette haute fenêtre, devant ce préau plein de fantômes et de chats, parmi ces fenêtres, identiques à la sienne, qui faisaient ressortir l'étrangeté de ses attitudes, soit qu'elles restent fermées et muettes, soit qu'elles s'ouvrent, s'éclairent, et révèlent des existences toutes différentes de la sienne : fonctionnaires rentrant de leurs bureaux, familles rassemblées autour d'une table, devant un poste de radio. Je songeais aux névropathes que j'avais connus, à ceux dont j'avais lu ou entendu les histoires, à la séquestrée de Poitiers amoureuse de sa « grotte », aux Béarnaises dont Francis James me montrait les maisons à Orthez et dont il me racontait les manies.

174

Les villages français sont pleins de femmes chavirées qui soudain refusent de sortir, de parler, dont on ne soigne pas les psychoses, dont on respecte le comportement, même s'il déconcerte, parce qu'on en attribue l'origine à une grande douleur ancienne, vénérable. Les hommes certes ne sont pas guéris de leur fâcheuse tendance à regarder la folie tantôt comme sacrée, tantôt comme maudite.

Et puis je m'en voulus d'avoir pensé que ma voisine était folle. Qu'avais-je donc observé, dans sa conduite, qui ne fût plus proche de la sagesse que de la démence ? Elle était veuve, sans doute, ou abandonnée, orpheline probablement, ni pauvre ni riche, ni vieille ni jeune. Mener une vie d'agitation, se répandre dans le quartier en achats inutiles, en bavardages médisants eût-ce été plus sage ? Réduite à la solitude, avait-elle tort de mener une vie solitaire, sans la plâtrer par des amitiés illusoires, des relations dérisoires ? Si son exercice favorise son sommeil, ou sa méditation, ferait-elle mieux de les stimuler par des stupéfiants, ou par des excitants ? Si d'ailleurs elle m'observe comme je l'observe, si elle me voit à ma table, devant ce buvard jaune, déchirant mes feuilles de papier, au fur et à mesure que je les noircis, cherchant les mots et les souvenirs qui me fuient, me posant toujours les mêmes questions auxquelles je ne sais pas répondre, que je ne puis même pas poser en termes qui me satisfassent, ne serait-elle pas fondée à me juger plus déraisonnable qu'elle ? L'irrégularité de mes humeurs, la nervosité de mes gestes ne pourraient-elles pas lui sembler bien piteuses, comparées avec la régularité placide de ses exercices ? Fidèle à sa propre loi, défendue par son mutisme, unique détentrice de son propre secret, elle ne revient pas sans cesse comme moi sur ce qu'elle décide, elle fait ce qu'elle a une fois pour toutes décrété nécessaire, le fait chaque jour, ne fait rien d'autre — religieuse sans couvent, prêtresse sans culte — mais d'autant plus exacte ; chacun de ses pas rigoureux la mène vers ce qu'elle a jugé le meilleur. Silencieuse, sa personne entière est devenue parole, et sa vie témoignage. Témoignage qu'elle porte inlassablement, sans inquiétude et sans défaillance.

Peut-être est-ce aux morts qu'elle le dé-
die ? Sans doute elle est proche d'eux, plus
que moi. A-t-elle découvert, elle, le moyen
de les évoquer sans les trahir ? A demi vivante et à demi morte, peut-être son va-et-
vient tisse-t-il, fil par fil, une étoffe invisible qui la relie aux êtres qu'elle a perdus ? Peut-être sait-elle comment les survivants doivent se comporter envers eux, sans
les blesser, sans leur déplaire ? L'immense
rêts fait des contradictions de la vie et de
la mort, du souvenir et de l'oubli, dont je ne
parviens pas, moi, à me déprendre, peut-être
sa marche attentive et tenace en défait d'elle,
une à une, les mailles ? Je suis persuadé que,
d'une manière ou d'une autre, son existence
reste dominée par les êtres qu'elle a perdus,
ses parents, son fiancé, son mari, si elle a
jamais été mariée. Et, folle ou non, c'est sûr
qu'elle reste calme. Une sorte de sérénité
émane de sa personne, de sa chambre qu'on
devine bien rangée, et dans laquelle la place
d'aucun objet n'est jamais remise en cause.
Quand j'ai pu l'apercevoir assise près de sa
coiffeuse, j'ai retrouvé sur son visage mieux
éclairé quand il est plus bas, la tranquille

maîtrise que j'attribuais d'abord à son exercice. Elle ne prie pas moins sans doute, quand elle cesse de prier, quand ses mains cessent d'être jointes. La déambulation succède à l'immobilité, mais l'une et l'autre se fondent dans le même silence. Elle ne passe pas de l'oraison à la dissipation. Pareille à soi, comme le Palais-Royal reste pareil à lui-même, malgré l'alternance des saisons et des heures, les tumultes du jeudi, qui le peuple d'enfants et, au contraire, le silence massif des nuits et des jours de fête.

Je comprends bien que je ferais vite ma paix avec les morts si je pouvais la faire avec moi-même. Leurs appels discordants révèlent les oscillations de mon esprit incapable d'accepter, ni même de refuser, ma personne, mon destin, le monde d'absurdité qui m'attire et qui m'écrase.

Cette paix que je désire et que je ne trouve pas, ma voisine, elle, semble l'avoir trouvée. Est-ce cela qui me paraît démence ? Les questions auxquelles je m'achoppe, elle ne les a sans doute pas résolues, mais elle a cessé de se les poser. Tout, probablement, est plus simple que je ne me le figure. Les effroyables contorsions des grands blessés, au matin le sommeil les dissipe. Et ces visages torturés deviennent sereins.

Il suffit, peut-être, de passer une certaine ligne invisible, et moins lointaine, peut-être, que nous ne supposons, pour qu'aux affres de l'agonie, de la souffrance, de la révolte, succède le calme des patriarches. « Les jours de mon pèlerinage ont été courts et mauvais », dit Jacob à Pharaon : mais il le dit en souriant. Je pense que pour ma voisine, les morts sont moins morts, les vivants moins vivants que pour moi... Elle garde son secret. Elle a refermé la fenêtre, tiré ses rideaux. Je ne sais pas ce qu'elle fait, si elle prie, si elle se repose. En moi, autour de moi aussi quelque chose se referme. Le silence se fige. Je comprends que je n'irai pas plus loin dans ce livre des morts.

FIN

TABLE

Cet ouvrage
reproduit
par procédé photomécanique
a été achevé d'imprimer
dans les ateliers de la S.E.P.C.
à Saint-Amand (Cher), le 23 février 1982.
Dépôt légal : février 1982.
N° d'imprimeur : 186.